Droit de l'urbanisme

MÉMENTOS DALLOZ
série droit public – science politique
sous la direction de Yves Jégouzo
professeur à l'Université Panthéon-Sorbonne (Paris I)

Droit de l'urbanisme

6ᵉ ÉDITION – 2003

Jacqueline Morand-Deviller

Professeur à l'Université Panthéon-Sorbonne (Paris I)

31-35 rue Froidevaux, 75685 Paris cedex 14

SOMMAIRE

INTRODUCTION

« Je parle de la ville immense, réalité quotidienne,
faite de deux mots : les autres. »
Octavio Paz, *L'Arbre parle.*

« Construire c'est collaborer avec la terre. »
Marguerite Yourcenar, *Les Mémoires d'Adrien.*

Le droit de l'urbanisme peut être défini **comme l'ensemble des règles concernant l'affectation de l'espace et son aménagement.**

C'est une branche du **droit public** rattachée principalement au droit administratif, en ce qu'il prescrit des **contraintes d'intérêt général** qui, pour un certain nombre d'entre elles, s'apparentent à des mesures de police administrative. Il trouve sa légitimité dans la prise en considération simultanée des notions de service public et de puissance publique. Mais la finalité de **prestation** et de service rendu à des usagers consommateurs d'espace est encore imprécise, alors que celle de **prérogatives contraignantes** imposées aux intérêts privés dans l'intérêt de la communauté apparaît plus évidente.

Le droit de l'urbanisme se rattache à d'autres branches du droit public : **droit fiscal, droit de l'environnement, droit du domaine public, droit de l'expropriation**, et du droit privé : **droit rural, droit de la construction, droit pénal**. Encore embryonnaires les règles communautaires devraient s'inscrire de plus en plus généreusement parmi ses sources.

Ses principaux caractères se résument ainsi :

• **C'est un droit patrimonial** où se confrontent deux modes d'usage de la propriété : usage dans l'intérêt commun, usage dans l'intérêt particulier. **L'intérêt commun** se nourrit de finalités diverses et complémentaires : intérêt économique imposant la gestion rationnelle de l'espace ; intérêt social de la diversité de l'habitat et de la restructuration de l'emploi ; intérêt de la protection de l'environnement, de la qualité de la vie, de l'esthétisme imposant des limites à l'aménagement. Leur mise en cohérence s'impose.

Idéalement, le droit de l'urbanisme est un droit de l'**harmonie** et de la **conciliation** du « juste » possible à défaut du « juste » idéal.

• **C'est un droit empirique** mouvant qui hésite entre la flexibilité et la stabilité. Il épouse les fluctuations de la conjoncture et naît de situations souvent incertaines et fuyantes qui lui donnent parfois des traits plus proches de l'ébauche que du définitif. Ainsi les prévisions induites de la planification locale sont-elles souvent déjouées par des événements fortuits, le renouvellement des assemblées et les nouvelles orientations politiques venant remettre en cause les projets primitifs. Tout un arsenal de procédures a donc été mis en place afin de permettre la modification, la révision, la mise à jour, l'adaptation des règles existantes et même l'application anticipée de certains textes non encore en vigueur.

• **C'est un droit complexe** qui s'est construit par juxtaposition et superposition manquant d'unité, de cohésion et d'idées-force. Le transfert des compétences, en 1983, a accéléré l'évolution et accru la stratification de règles nationales, supracommunales et communales conjointement applicables à un même terrain. La sophistication de ce droit, qui est aussi une de ses vertus, entraîne les dérives dans son application, la difficulté des contrôles et l'insuffisance des sanctions. Sa régulation, sa purification (termes préférés à celui de déréglementation, ou de simplification) sont à l'ordre du jour et la réécriture de certaines parties d'un Code surchargé de plus de 2 000 articles serait bienvenue.

• C'est un droit qui accueille une **légalité parfois rigide** (rapport de conformité), **parfois souple** (rapport de compatibilité). Il fait aussi une large place aux décisions discrétionnaires en opportunité.

• C'est un droit qui **met en présence de nombreux acteurs** souvent en situation conflictuelle : les services de l'État, les élus et les services des collectivités locales, les propriétaires du sol, les constructeurs, les tiers voisins, les associations de défense, les professionnels intéressés au projet de construction ou d'aménagement : promoteurs, géomètres, architectes, notaires, établissements de crédit, établissements publics et sociétés d'économie mixte d'aménagement, organismes d'HLM... Il convient de prévoir des mécanismes de **concertation** préalable à la décision où les différents partenaires pourront développer leurs points de vue et trouver un terrain d'entente : convaincre, persuader plutôt qu'ordonner, l'incitatif tempérant l'impératif.

• C'est un droit **qui semble discriminatoire** et en retrait par rapport aux principes de la Déclaration de 1789. Mais la liberté ne consistant à faire que ce qui ne nuit pas à autrui et la propriété n'étant absolue dans son usage que si ce dernier n'est pas prohibé par les lois et règlements, de telles réserves donnent leur légitimité aux règles contraignantes du droit de l'urbanisme. Par ailleurs, de nouveaux droits particulièrement nécessaires à notre temps se développent : droit de l'homme à un logement décent (« objectif à valeur constitutionnelle », Cons. const. 19 janvier 1995) et à un environnement de qualité, notion de *res communis,* reprise par la loi du 7 janvier 1983 qui fait du « **territoire français le patrimoine commun de la nation** ». Même si dans son application, dispersée au profit de trop nombreux décideurs, le droit de l'urbanisme s'écarte parfois de ces finalités supérieures, elles le transcendent, justifient son comportement autoritaire, en font un droit de la solidarité, de la réconciliation et, ambitieuse visée, de la qualité de la vie.

• C'est un droit où les **enjeux économiques et financiers** mais aussi **sociaux autant qu'individuels** sont puissants. Le mieux être et l'art de vivre de l'individu sont largement dépendants de la qualité du milieu urbain. Quant à la paix sociale, objectif majeur d'un ordre juridique, elle requiert l'aménagement équilibré et harmonieux des cités, faute de quoi la ville devient lieu et facteur de révolte. Face à de tels enjeux où rien n'est jamais acquis de façon définitive, la logique du droit sera **plus fonctionnelle que formelle.**

Bien que la nécessité de règles spécifiques soit apparue depuis longtemps, la prise en compte globale par le droit de l'affectation planifiée des sols et du développement urbain est un phénomène **récent**, ce que démontre la **genèse de ce droit** (section 1).

Spatialisées, décentralisées mais encadrées par de grandes orientations nationales, telles apparaissent les **institutions de l'urbanisme et les sources du droit** (section 2).

> Section 1
Genèse du droit de l'urbanisme

Les réflexions sur l'urbanisme sont fort **anciennes.** Il n'est qu'à lire Aristote, Platon (*Les lois*, livre V) ou Vitruve *(Les dix livres d'architecture)* pour s'en persuader. Mais le droit de l'urbanisme resta longtemps limité à des prescriptions de police administrative imposées aux propriétés privées. Il ne s'inscrivit dans la perspective contemporaine de planification et d'aménagement qu'après la première et la seconde guerre mondiale, alors que la reconstruction d'un pays dévasté et l'explosion urbaine imposaient une réflexion globale.

§1 Des réglementations spécifiques inspirées par des préoccupations d'ordre public

A. Aménagement des voies publiques

Inspiré par des considérations architecturales et de sécurité, l'**Édit de Henri IV** en 1607 impose aux constructeurs de respecter les principes de l'alignement et donne à l'administration le pouvoir de les y contraindre. Des **plans d'alignement** seront établis ensuite par les différents monarques et par la Révolution (loi de 1791), le Premier Empire (loi de 1807) et dans la loi municipale du 5 avril 1884.

B. Police de la sécurité

Il s'agit d'abord de contrôler, par voie d'autorisation ou de déclaration préalable, les **établissements dangereux, incommodes, insalubres**. Un décret impérial de 1810 prévoit trois classes selon le degré de dangerosité. Modifié en 1917, cette matière est actuellement traitée par la **loi du 19 juillet 1976**. Le contrôle des installations classées, confié au préfet, est désormais annexé par le droit de l'environnement, dans le cadre de la lutte contre les pollutions et nuisances.

Le législateur (loi du 21 juin 1898, toujours en vigueur) s'intéresse ensuite aux **immeubles menaçant ruine** : le maire peut (et même doit) prescrire la démolition d'un immeuble présentant des dangers pour la sécurité des voisins ou des passants.

C. Police de la salubrité

Le décret-loi du 26 mai 1852, inspiré par Haussmann, oblige les constructeurs à aménager des **réseaux d'évacuation** des eaux. Le champ d'application, qui à l'origine ne concernait que Paris, pouvait être étendu. La loi du 15 février 1902 sur l'hygiène publique, prévoit l'élaboration, dans chaque commune, d'un **règlement sanitaire** : aucune construction dans les villes de plus de 20 000 habitants ne pouvait être entreprise sans un permis constatant la conformité au règlement.

D. Protection de l'esthétique et conservation du patrimoine

En réaction contre Haussmann le « démolisseur », et contre Viollet le Duc le reconstructeur « à l'identique » et en réaction contre la dispersion des œuvres d'art, des lois protectrices, toujours en vigueur pour l'essentiel de leurs dispositions, interviennent : lois des 30 mars 1887 et 31 décembre 1913 pour les **monuments historiques** ; lois des 21 avril 1906 et 2 mai 1930 pour les **sites**.

Dans l'ensemble, ces règles ne se dégagent pas encore du droit de la construction et des objectifs de la police administrative traditionnelle.

§2 L'URBANISME DE SAUVEGARDE ET LES DÉBUTS DE LA PLANIFICATION

A. Projets communaux d'aménagement de la loi du 14 mars 1919

À l'imitation de pays voisins dotés d'une législation de planification urbaine : cf. Suède (loi de 1874), Pays-Bas (loi de 1901), Grande-Bretagne (loi de 1909), et pressé par les nécessités de la reconstruction des villes du Nord et de l'Est, le Parlement adopte, le **14 mars 1919** une loi dite « **loi Cornudet** » du nom de son rapporteur. Elle sera complétée par une loi du 1er juillet 1924. Cette loi prescrivait l'établissement, dans un délai de 3 ans, de « **projets d'aménagement, d'embellissement et d'extension des villes** », dans les communes de plus de 10 000 habitants et dans celles sinistrées, pittoresques ou en extension rapide. La modernité de ces dispositions apparaît à plusieurs points de vue, sans oublier la finalité d'« embellissement » qui, depuis peu, préoccupe enfin les pouvoirs publics :

1. Décentralisation

L'élaboration des plans était **à la charge des communes**, les urbanistes et architectes étant choisis par le maire. La commune avait la responsabilité des projets dont elle devait prendre l'initiative faute de quoi le préfet pouvait se substituer à elle.

2. Généralité

Les plans ne concernent plus seulement l'alignement et la voirie, comme les précédents, mais les espaces verts, les emplacements réservés, les servitudes, la nature des constructions selon les zones. Le Conseil d'État admit la légalité des **zonages** et des affectations du sol à des usages différents : CE 23 février 1934.

3. Caractère impératif

Déclarés d'utilité publique par décret en Conseil d'État, les plans s'imposaient aux constructeurs qui, avant d'entreprendre un projet, devaient obtenir une autorisation attestant de sa compatibilité. Ce « **permis de construire** » restait cependant peu élaboré.

4. Bilan

Ancêtres directs des POS, qui leur emprunteront leurs principaux traits, les **plans d'aménagement** ne connurent pas le succès escompté. La procédure était trop lourde et contraignante pour des communes dépourvues des moyens d'y faire face. En 1940, 273 projets seulement avait été décrétés d'utilité publique alors que près de 2 000 communes étaient en principe tenues d'avoir un plan. La planification décentralisée, choix politique irréversible, devra attendre un demi-siècle pour entrer réellement en application.

B. Réglementation des lotissements

La loi de 1919 avait prévu que les lotissements devaient aussi être dotés d'un plan d'aménagement mais cette mesure, faute de sanctions, ne fut pas appliquée. C'est la loi du 10 juillet 1924 qui permit de soumettre les lotissements à un véritable contrôle en imposant une **autorisation préalable** portant sur le plan d'aménagement, le programme d'exécution des travaux de viabilité, le cahier des charges. Entièrement privée à l'origine, l'opération se publicisait peu à peu afin de garantir les « mal lotis » et d'éviter le désordre des constructions.

C. Projets régionaux d'aménagement

La supracommunalité fait aussi son apparition. Une loi du 14 mai 1932 décide l'établissement d'un projet d'aménagement de la **région parisienne** (auquel seraient soumis les projets d'aménagement de 656 communes). La possibilité d'établir de tels projets régionaux est élargie à l'ensemble du territoire par un décret-loi du 25 juillet 1935.

La **loi sur l'urbanisme du 15 juin 1943** perfectionne la formule et la généralise en prévoyant des projets intercommunaux établis dans le cadre de **groupements d'urbanisme** avec lesquels les **projets d'aménagement communaux** devront être compatibles, formule proche de celle des SD et des POS. Par ailleurs, la loi généralise le permis de construire.

D. Création d'une administration d'État spécifique

« Affaire d'État », l'urbanisme se voit enfin doté par la loi du 15 juin 1943 de **services propres**. Auparavant le ministère de l'Intérieur avait ce domaine en charge. À l'origine, il n'y a pas de ministère à part entière mais seulement une délégation à l'Équipement national avec une direction de l'Urbanisme. Les services extérieurs, sous l'autorité d'un inspecteur général, sont aménagés au niveau régional.

§3 L'URBANISME OPÉRATIONNEL ET QUALITATIF

En trente ans : 1945-1975, la population urbaine augmente de 14 millions d'habitants soit autant qu'entre 1789 et 1950. Baby-boom et exode rural expliquent ce phénomène. L'explosion urbaine : quasi-doublement des mises en chantier qui avoisinent les 500 000 par an dans les années 1970, appelle une politique d'envergure : ce sont les « Trente Glorieuses ». La crise s'installe ensuite, les projets d'aménagement deviennent plus modestes et poursuivent de nouveaux objectifs, d'ordre qualitatif et social.

A. Les « Trente Glorieuses »

De 1950 à 1960, les textes se succèdent dans le but de faciliter les opérations d'urbanisme : régime **d'aide financière à la construction** (loi du 21 juillet 1950) ; élargissement des possibilités d'**expropriation** afin d'en faire bénéficier les constructeurs privés (loi du 6 août 1953 et ordonnance du 23 octobre 1958) ; mise au point, par les décrets du 31 décembre 1958, du statut de deux opérations spécifiques d'aménagement : les **zones à urbaniser en priorité (ZUP) et la rénovation urbaine.**

Les procédures de **restauration immobilière** (loi Malraux du 4 août 1962) et celles des **zones d'aménagement différé** (ZAD) (loi du 26 juillet 1962) complètent le système et le modifient fort opportunément : une politique de sauvegarde et de réhabilitation se substitue à celle des démolitions brutales et des « grands ensembles » décriés.

B. Essor de l'urbanisme prospectif et de la planification

L'idée d'étendre à l'ensemble du territoire l'application de documents d'urbanisme prospectif se développe. Ils doivent permettre la maîtrise de l'utilisation des sols et de l'évolution des agglomérations. Une distinction est établie selon leur fonction et leur portée :

• Les uns auront une dimension supracommunale, ils joueront un rôle de **prévision et d'orientation générale** et leurs règles seront incitatives : il s'agit des schémas directeurs d'aménagement et d'urbanisme (**SDAU**).

• Les autres seront élaborés dans le cadre communal, ils auront une **fonction de réglementation** et la plupart de leurs règles seront impératives : il s'agit des plans d'occupation des sols (**POS**).

C'est l'importante **loi d'orientation foncière du 30 décembre 1967** qui détermine leur régime. Ces documents qui concernaient surtout les aires métropolitaines se « ruralisèrent » par la suite. Directement opposables aux particuliers, les POS ont pris une importance croissante parmi les sources du droit de l'urbanisme.

C. Concertation et incitation

• La **concertation** c'est-à-dire la rencontre et le débat organisé entre les divers partenaires intéressés par une opération d'urbanisme préalablement à la prise de décision, a d'abord été favorisée pour atténuer le caractère technocratique et centralisé des décisions : élaboration « conjointe » des SDAU et des POS, création d'une opération d'aménagement d'un type nouveau, les zones d'aménagement concerté (ZAC) prévues par la LOF du 30 décembre 1967 et promises à un grand succès. Après 1983, une relance des procédures de concertation intervient afin de tempérer les nouveaux pouvoirs transférés aux élus municipaux et parce que la demande de démocratie participative devient plus pressante, la loi du 18 juillet 1985 rend obligatoire l'organisation, par délibération du conseil municipal, d'une concertation avec les habitants de la commune pendant la durée d'élaboration d'un projet d'aménagement, procédure qui sera étendue aux documents d'urbanisme par la loi SRU (cf. *infra*).

La place faite aux **associations** s'affermit, après les lois des **10 juillet** (environnement) et **31 décembre** (urbanisme) **1976**. La **loi du 2 février 1995** relative au **renforcement de la protection de l'environnement** accentue les pouvoirs des associations agréées à la qualification désormais unique : « **associations agréées de protection de l'environnement** » : possibilité de saisir la **commission du débat public** créée par la loi ; faculté de mener une action en réparation conjointe pour le compte de plusieurs personnes physiques.

Une autre forme de concertation avec une intégration plus poussée est recherchée dans la formule des **associations foncières urbaines** (AFU) permettant la réalisation des opérations d'urbanisme par les propriétaires eux-mêmes, formule dynamique, inspirée des associations syndicales de propriétaires.

• Les pouvoirs publics marquent leur préférence pour le **faire faire** plutôt que pour le faire. Au lieu de prendre directement en charge l'aménagement, ils poursuivent une politique **d'incitation** à l'égard d'organismes publics ou para-publics autonomes : établissements publics (EP), sociétés d'économie mixte (SEM) d'aménagement et à l'égard du secteur privé. Des aides économiques et financières sont octroyées et les acquisitions foncières sont facilitées. La **contractualisation** se développe : concessions d'aménagement urbain, concessions ou conventions de ZAC.

Par ailleurs, des incitations sont faites pour rendre plus aisés l'achat ou la location des constructions par les particuliers. Leurs règles complexes occupent près de la moitié, en volume, du Code de la construction et de l'habitation (CCH). Il s'agit entre autres, des **prêts pour l'accession à la propriété** (PAP), des **prêts conventionnés**, des **prêts pour l'amélioration de logements à usage locatif**, de l'**aide personnalisée au logement** (APL).

D. Vers un urbanisme protecteur et qualitatif

• **Le droit de l'environnement progresse** à partir des années 1970 : création du premier ministère de l'Environnement en 1971, **loi sur la protection de la nature du 10 juillet 1976**. Cette orientation inspire certaines dispositions de l'importante loi portant réforme de l'urbanisme du 31 décembre 1976 : freins à l'urbanisme dérogatoire, renforcement des systèmes de protection des espaces naturels, création des zones d'environnement protégé (ZEP).

• La protection est recherchée aussi dans l'élaboration de **mesures coercitives à l'égard de la propriété privée**.

Elles sont destinées :
– d'une part à maîtriser l'usage des sols : extension du droit de préemption, institution du **plafond légal de densité (PLD)** « au-delà duquel le droit de construire appartient à la collectivité » ;
d'autre part à exercer un contrôle sur les droits de construire : le **permis de construire se généralise** et se trouve encadré par un nombre croissant de règles qui protègent à la fois les tiers, les constructeurs (contre leurs propres abus) et l'administration (contre les risques d'arbitraire) ;
– le législateur **protège aussi le futur occupant** contre les constructeurs malhonnêtes ou défaillants : contrats spéciaux incluant de nombreuses garanties (contrats de vente d'immeuble à construire, contrat de promotion immobilière, contrat de maison individuelle), lois sur la responsabilité des constructeurs et des maîtres d'ouvrage : loi du 3 janvier 1967 remplacée par la loi du 4 janvier 1978, dite : « loi Spinetta ».

E. Décentralisation, droit à la ville et droit de l'habitat

En opérant au profit des communes un **large transfert de compétences** affectant à la fois l'élaboration des documents d'urbanisme, l'instruction, la délivrance des autorisations de construire et la réalisation des projets d'aménagement, les **lois des 7 janvier et 22 juillet 1983 et du 18 juillet 1985** ont considérablement modifié les sources et les institutions du droit de l'urbanisme.

Proclamé « **patrimoine commun de la nation** », le territoire français doit être géré « **de façon économe** », les collectivités harmonisant leurs prévisions et décisions d'utilisation de l'espace, « **dans le respect de leur autonomie** » (art. L. 110, C. urb.).

L'importance de ces réformes a encore accentué **l'inflation galopante des textes** (on a calculé que 85 % environ des articles du Code de l'urbanisme ont été modifiés ou supprimés entre 1974 et 1984) et l'on chercha alors à « purifier » ce droit, ce que les premières tentatives, cf. la loi du 6 janvier 1986, dite de « simplification », ne sont guère parvenues à réussir.

Un renversement de tendance se rencontre s'agissant des options politiques fondamentales. Les politiques urbaines prennent en compte la « crise » de la ville en sa dimension sociale et le droit à la ville inspire désormais le droit de la ville ce qu'exprime la **loi d'orientation sur la ville du 13 juillet 1991.**

Un rapport demandé au Conseil d'État par le Premier ministre et adopté en janvier 1992, dit **Rapport Labetoulle** du nom de son rapporteur général, insiste sur la nécessité d' « **un droit plus efficace** ».

La fécondité législative ne faiblit pas et le droit de l'urbanisme se trouve enrichi par certaines dispositions de la **loi « paysage » du 8 janvier 1993** et de la **loi Barnier relative à la protection de l'environnement du 2 février 1995.**

La **loi du 25 janvier 1995 relative à la diversité de l'habitat** et la loi **du 14 novembre 1996 relative à la mise en œuvre du pacte de relance pour la ville** ont pour objectif de dynamiser l'activité et l'emploi dans les quartiers en difficulté. Pour réussir la « **restructuration urbaine** », est prévue la création de « **zones de redynamisation urbaines** » et de « **zone franches urbaines** ».

F. Solidarité et renouvellement urbain

La loi du 13 décembre 2000, relative à la solidarité et au renouvellement urbain, opère une ambitieuse réforme de l'ensemble de système et les nombreux changements qu'elle apporte seront présentés dans les différentes parties de cet ouvrage. Cette réforme s'inscrit dans une suite que le gouvernement a voulu logique : **loi Voynet, du 25 juin 1999** sur **l'aménagement et le développement durable du territoire**, et **loi Chevènement, du 12 juillet 1999** sur le **renforcement** et la **simplification de la coopération intercommunale.**

La loi SRU tente d'inciter fortement les communes, souvent regroupées en communautés, à mettre au point des schémas de cohérence territoriale qui traceront les grandes orientations d'une **gestion intégrée** de l'urbanisme, dans le perspective d'un **développement durable.** Les documents d'urbanisme ont l'ambition d'être beaucoup plus que des plans d'affectation des sols ; ils doivent devenir de véritables **projets de développement urbain** prenant en compte la restructuration de l'existant, le développement économique, celui des moyens de transport, les problèmes sociaux et, comme par le passé, les préoccupations environnementales.

Il ne s'agit pas, selon ses rédacteurs, d'un « retour de l'État » puisque celui-ci n'impose rien et se contente d'inciter. Les pressions, certes sont fortes mais les communes restent libres et responsables de leurs choix. Certaines dispositions de la loi SRU ont été modifiées en 2003.

> SECTION 2

Sources et institutions du droit de l'urbanisme

Le droit de l'urbanisme est devenu une « **affaire d'État** » à dimension prospective opérationnelle. Le grand souffle décentralisateur des années 1982-1983 lui donne une **dimension locale** primordiale, encadrée cependant par de nombreuses strates réglementaires d'application nationale, que les services de l'État ont pour mission de faire respecter. Proche des préoccupations quotidiennes des citoyens en leur cadre de vie, l'urbanisme est aussi « **l'affaire de tous** » et, si les progrès de la démocratie semi-directe sont dérisoires, les progrès de la participation sont encouragés, tant il semble préférable de convaincre plutôt que de contraindre.

§1 SOURCES DU DROIT DE L'URBANISME

A. Normes internationales

À la différence du droit de l'environnement, le droit de l'urbanisme **stricto sensu** est encore peu encadré par des normes internationales. Mais les liens existant entre ces deux droits n'ont cessé de se renforcer et la dimension internationale du premier ne peut manquer de rétroagir sur le second.

• Au **niveau** international les notions d'habitat et d'établissements urbains font l'objet de recherches de plus en plus approfondies, cf. conférences de Vancouver (1976) « Habitat I », et d'Istanbul (1996) « Habitat II ». La gestion intégrée de l'environnement urbain est une des conditions du « développement durable », principe proclamé à la conférence de Rio (1992) et intégré dans le droit français par les lois du 8 février 1995 et du 25 juin 1999.

• Au niveau communautaire, la qualité de la vie étant l'un des objectifs du traité de Rome, un « Livre vert sur l'environnement urbain » a été adopté par le Conseil en 1991 afin de « créer ou recréer des villes et des agglomérations dont l'environnement soit attrayant pour leurs habitants et à réduire l'apport urbain dans la pollution globale ». La Commission a lancé un projet « villes durables ».

• L'application de la Convention européenne des droits de l'homme par la Cour européenne de Strasbourg enrichit le droit de l'interventionnisme foncier, notamment par sa jurisprudence sur le droit de propriété et les garanties qui lui sont attachées.

• Enfin, l'ouverture des frontières entre les États membres de l'Union européenne conduit à une réflexion sur la coopération transfrontalière en matière d'urbanisme et des « projets d'agglomération transfrontalière » se développent.

B. Normes nationales

1. LES LOIS

• Elles jouent un rôle essentiel. L'**article 34** de la Constitution attribue au législateur la détermination des principes fondamentaux touchant **au droit de propriété.**

• Les meilleures, aux effets les plus durables, sont celles qui se donnent pour objet la mise au point de **grands systèmes d'orientations.** En font partie la **loi d'orientation foncière du 31 décembre 1967** (aménageant les POS et les SDAU), la **loi foncière du 31 décembre 1975** (créant le PLD et les ZIF), la **loi portant réforme de l'urbanisme du 31 décembre 1976** (réaménageant les POS et le permis de construire), les **lois des 7 janvier et 22 juillet 1983** sur la répartition des compétences entre l'État et les collectivités locales ainsi que la loi du **18 juillet 1985** sur les principes de l'aménagement. La **loi SRU du 13 décembre 2000**, dont l'ambition est de définir un équilibre cohérent des agglomérations favorisant la mixité et la solidarité sociale dans une perspective de développement durable, prend place parmi ces grands textes d'orientation.

• Il est logique que des problèmes d'envergure nationale ne soient pas traités par des textes de rang inférieur : **la loi montagne**, du 9 janvier 1985, la **loi sur le voisinage aux abords des aérodromes** du 11 juillet 1985 et la **loi littoral** du 3 janvier 1986 ont très opportunément pris le relais d'anciennes directives d'aménagement. Décriées par certains comme trop imprécises, les lois littoral et montagne ont le mérite d'avoir posé de grandes orientations mobilisatrices, destinées à être complétées par des décrets d'application qui, pour certains, ont trop tardé à intervenir. Le Premier ministre a été condamné, sous astreinte, à édicter deux de ces décrets dans un délai de 6 mois, 14 ans de retard étant « déraisonnables » : CE 28 juillet 2000, « *Ass. France Nature Environnement* ».

2. Les règlements à portée nationale

On en donnera comme exemple les **règles générales d'urbanisme** prévues par les décrets des 29 août 1955 et 30 novembre 1961 portant règlement national d'urbanisme (RNU).

3. Les circulaires et les réponses ministérielles

• Elles n'ont pas de valeur juridique en principe, sauf pour les circulaires présentant un caractère réglementaire : cf. jurisprudence « *N.D. du Kreisker* » CE 29 janvier 1954 ou, selon une jurisprudence récente, un caractère « impératif » : CE 18 décembre 2002, « *Duvignères* ».

• Traduisant la doctrine de l'administration, expliquant des textes souvent amphigouriques, elles ont une grande importance pratique. La place prise par ces sources métajuridiques, et la **déviance**, parfois, dans la hiérarchie des normes ont souvent été dénoncées : la « doctrine administrative » ne peut donner que ce qu'elle a.

4. La jurisprudence

• Le droit de l'urbanisme, au sens large, incluant le droit de l'expropriation, a fourni au juge administratif l'occasion de **grandes créations prétoriennes**, concernant en particulier le contrôle du pouvoir discrétionnaire : théories de l'erreur manifeste CE 29 mars 1968, « *Soc. lotissement plage de Pampelonne* » largement utilisée et contrôle du « bilan » CE 28 mai 1971 « *Ville Nouvelle Est* », appliqué plus rarement cf : CE 5 juillet 1973, « *Ville de Limoges* ».

• Il lui a offert l'opportunité de constructions jurisprudentielles **sophistiquées** : retrait des décisions implicites d'octroi, notion de publicité complète, intérêt à agir, détournement de pouvoir, exception d'illégalité…

• Quelque peu essoufflée dans les années quatre-vingt, cette jurisprudence a retrouvé une **vigueur et un intérêt nouveau** avec les réformes issues de la décentralisation : contentieux de la légalité des documents d'urbanisme, contentieux des ZAC, contentieux de la responsabilité…

• Le **caractère flexible**, d'aucuns diront incertain, de nombreuses règles : rapport de « comptabilité », « prise en compte » ou en « considération » conviennent à la jurisprudence traditionnellement prudente et nuancée du juge administratif, qui n'hésite pas cependant, quand l'administration dépasse la mesure, à se montrer rigoureux.

• Cet impressionnisme sied mal au contraire au **juge pénal** qui, avec le **juge civil**, intervient aussi pour faire appliquer le droit de l'urbanisme.

C. Normes locales

Entre 1943 et 1983, l'urbanisme fut une **affaire d'État**. Les représentants de l'État : préfet et DDE avaient la responsabilité principale de l'élaboration des documents d'urbanisme et de la délivrance des autorisations de construire « au nom de l'État ».

La situation s'est inversée **en 1983**. Les communes sont devenues responsables de l'élaboration de leur POS et les autorisations de construire, lorsque la commune s'est dotée d'un POS, sont délivrées en son nom.

Les sources locales sont plus précises que les règles nationales mais sont, en général, perçues comme plus malléables. Si le **déféré préfectoral** peut être un moyen sûr de contrôler leur légalité, son usage demeure trop limité : trois par an et par département en moyenne dans le domaine de l'urbanisme (cf. Rapport Lateboulle précité).

D. Contractualisation

Pratiqué d'abord en marge du droit, la technique contractuelle et s'est beaucoup développée pour régir la coopération entre les personnes publiques : collectivités locales et État et collectivités locales entre elles : le contrat à la place de la contrainte, dit-on. Les **contrats de plan**, conclus entre l'État et la région sont la clef de voûte de cette mise en cohérence au niveau régional. Le dernier couvrira la période 2000-2007.

Dans leur prolongement pourront être conclus des **contrats de ville** pour la mise en œuvre de la politique concernant les quartiers urbains en difficulté et des **contrats d'agglomération**, crées par la loi du 25 juin 1999, avec pour objectif de « **traiter dans un même cadre l'ensemble des domaines qui concourent à l'aménagement et au développement des agglomérations** ».

§2 INSTITUTIONS CHARGÉES DE L'URBANISME

Le principe général d'une distribution des rôles entre l'État et les diverses collectivités territoriales est posé à **l'article L. 110**, qui ouvre le Code de l'urbanisme.

« Le territoire français est le patrimoine commun de la nation. Chaque collectivité publique en est le gestionnaire et le garant dans le cadre de ses compétences... Les collectivités harmonisent, dans le respect réciproque de leur autonomie, leurs prévisions et leurs décisions d'utilisation de l'espace. »

Complémentarité, solidarité, équilibre, harmonie devraient inspirer les relations entre les diverses administrations, les organismes aménageurs et les associations qui constituent l'armature institutionnelle de l'urbanisme.

A. Administrations d'État

1. LE MINISTÈRE DE TUTELLE

• Le premier ministère spécifique, celui de la **Reconstruction et de l'Urbanisme** apparaît en 1944. Il est qualifié ministère de la Construction en 1959 et devient le ministère de l'Équipement, en 1966, lorsque les Travaux publics lui sont adjoints. Auparavant, l'urbanisme était confié au ministère de l'Intérieur.

• Entre 1978 et 1981, la brève expérience d'un « **super ministère** » regroupant l'**Équipement et l'Environnement** prouve combien il est illusoire de vouloir concilier les « protecteurs et les aménageurs » en regroupant les structures, ce qui prive le plus fragile de ses pouvoirs d'opposition à l'égard du puissant rival, sans encourager vraiment la coopération.

• La forme la plus courante est désormais celle d'un ministère de l'Équipement, des Transports et du Logement.

• De nombreux **ministères** sont concernés par les questions d'urbanisme : Environnement, Culture, Agriculture, Commerce, Industrie. En 1991, un **ministère de** la **Ville**, devenu peu après secrétariat d'État, puis rattaché à un autre ministère, a été mis en place. Son existence est, depuis, incertaine et varie selon les gouvernements.

2. LES DIRECTIONS CENTRALES

Celle qui a le plus directement en charge les problèmes d'urbanisme est la **direction générale de l'Urbanisme, de l'Habitat et de la Construction.**

En 1989, ces services se sont installés à l'arche de La Défense.

L'architecture a quitté le ministère de l'Équipement en septembre 1995 pour rejoindre le ministère de la Culture (**direction de l'Architecture et du Patrimoine**).

3. LES STRUCTURES DE COORDINATION ET DE CONSULTATION

• Certaines sont anciennes et concernent plus largement l'**aménagement du territoire** :

• Délégation à l'aménagement du territoire et à l'action régionale (DATAR) créée en 1963, comité interministériel pour les problèmes d'aménagement du territoire et d'action régionale (**CIAT**).

• D'autres, visent à regrouper autour du Premier ministre un dispositif missionnaire opérationnel prenant en compte non seulement l'aspect économique mais la dimension sociale du phénomène urbain. C'est le cas du **conseil interministériel** et de la **délégation** interministérielle à la ville. Ils suivent la préparation et l'exécution des « **contrats de ville** ».

• Certains organismes ont une **vocation plus spécifique** et technique et jouent un **rôle consultatif** important : conseil national des Ponts et Chaussées, commission nationale d'urbanisme commercial, commission supérieure des monuments historiques et des sites, commission nationale des secteurs sauvegardés, groupe central des villes nouvelles, délégation à la rénovation des banlieues…

4. LES SERVICES DÉCONCENTRÉS DE L'ÉTAT

On les rencontre à l'échelon régional et départemental :

• **Les structures régionales** spécifiques sont légères. Ainsi les **directions régionales de l'Équipement (DRE)** ont essentiellement des tâches de réflexion et de programmation.

Mais deux autres directions spécialisées peuvent être amenées à intervenir : celle des **Affaires culturelles (DRAC)**, celle de l'**Environnement (DIREN)**. Les premières ont en charge le patrimoine architectural, les secondes veillent à l'application des mesures concernant l'environnement et à leur prise en compte par les documents d'urbanisme.

• Les **directions départementales de l'Équipement** (DDE) sont au contraire dotées de moyens puissants à la mesure de leurs compétences étendues : urbanisme, logement, mais aussi grands travaux d'infrastructure, constructions publiques, transports. On distingue généralement un groupe d'étude et de programmation (GEP) chargé de l'étude des documents d'urbanisme et un groupe d'urbanisme opérationnel et construction, responsable des autorisations d'occupation du sol. Des antennes déconcentrées se rencontrent au niveau de l'arrondissement et des cantons.

• Les DDE conservent leur mission traditionnelle **d'aide technique** rémunérée à la gestion communale.

• Dans les lois de décentralisation un autre mode de collaboration a été prévu. Il s'agit de la **mise à disposition** gratuite des services et du savoir-faire des DDE au profit des collectivités locales qui en feront la demande. Des **conventions de mise à disposition** passées entre le préfet et le maire officialisent cette collaboration. Les textes étant muets, la jurisprudence a dû préciser comment peut s'opérer le partage des responsabilités.

Les services de l'État font valoir qu'ils interviennent gratuitement, à la demande des autorités décentralisées et sous leur contrôle, mais un certain **partage de responsabilité** entre les communes et les services de l'État pourrait s'opérer. D'une part, l'irresponsabilité totale d'un service est, en elle-même, choquante. D'autre part, lorsque l'assistance de la DDE est sollicitée par les communes c'est parce que les agents de l'État sont présumés avoir une connaissance technique des problèmes que celles-ci n'ont pas. L'erreur dans l'avis donné devrait donc être susceptible d'engager, partiellement du moins, leur responsabilité.

L'arrêt CE 21 juin 2000 « *Commune de Roquebrune Cap-Martin* » reconnaît que la responsabilité des services de l'État peut être engagée pour faute simple dans sa mission de « porter à la connaissance » et lorsque les services de l'État refusent ou négligent d'exécuter un ordre du maire lors de l'instruction d'une autorisation de construire. Dans l'exercice du déféré-préfectoral la responsabilité de l'État ne peut être engagée que pour faute lourde : CE 6 octobre 2000 « *Commune de Saint-Florent* » (la faute lourde du préfet est ici retenue).

B. Administrations locales décentralisées

1. LES STRUCTURES RÉGIONALES ET DÉPARTEMENTALES

• S'ils possèdent peu de compétences décisionnelles propres, les départements et les régions peuvent d'une part allouer des **aides financières** aux communes pour leurs acquisitions foncières et leurs opérations d'aménagement, d'autre part demander à être **associés à l'élaboration** des documents d'urbanisme. Dans le cadre des **contrats de plan** (cf. *supra*) les régions jouent un rôle important dans la programmation à moyen terme des opérations d'aménagement du territoire et dans la répartition des crédits y compris les aides européennes.

• Par ailleurs, les départements disposent d'importants pouvoirs d'intervention foncière s'ils décident de la délimitation d'**espaces naturels sensibles**, zones à l'intérieur desquelles ils bénéficieront du droit de préemption et de ressources fiscales propres (taxe départementale des espaces naturels sensibles) pour financer les acquisitions.

• La loi du 3 janvier 1977 a institué des **conseils départementaux d'architecture, d'urbanisme et d'environnement (CAUE)**. Constitués sous la forme d'association de la loi de 1901 et rassemblant des représentants de l'État et des collectivités locales ainsi que des personnalités qualifiées, ils ont pour mission de promouvoir la qualité de l'architecture, d'informer et de conseiller gratuitement les particuliers et les collectivités quant à la qualité urbanistique et architecturale. La consultation des particuliers n'a qu'un caractère facultatif et leur plus grande activité est celle de conseil des collectivités locales. Une taxe départementale permet de financer leurs prestations.

La loi du 7 janvier 1983 a prévu dans chaque département une **commission de conciliation** en matière d'urbanisme, composée d'élus communaux et de personnalités qualifiées qui ont pour mission la recherche d'un accord, médiation amiable qui exclut un pouvoir de décision. Les cas de saisine demeurent rares.

2. Les structures communales

• Dépositaires depuis 1983-1985 de très larges pouvoirs leur permettant de maîtriser la planification de leur sol, la délivrance des autorisations de construire, les opérations d'aménagement et les interventions foncières par l'usage du droit de préemption, les communes d'une certaine importance se sont dotées de **services spécialisés** qui regroupent généralement un service de l'action foncière, un service des opérations d'urbanisme et un service des permis de construire.

• Certaines agglomérations ont une **agence d'urbanisme** organisme para-public à caractère mixte rassemblant des représentants des communes (en majorité) et des représentants de l'État. Ces agences réalisent des études préalables à l'élaboration des documents d'urbanisme et à la réalisation des opérations d'aménagement pour lesquelles elles reçoivent une dotation de l'État, la charge principale du financement incombant aux collectivités locales. Une quarantaine sont en activité. La loi SRU les autorise à prendre la forme d'une association ou d'un groupement d'intérêt public (GIP)

3. Les structures intercommunales de coopération

• Les structures de coopération intercommunales ont été réformées par la **loi du 12 juillet 1999**, dite loi Chevènement, relative au **renforcement et à la simplification de la coopération intercommunale**. Trois établissements publics de coopération intercommunale (EPCI) ont vocation à être mis en place dans des agglomérations de taille différente.

Les **communautés urbaines**, créées par la loi du 31 décembre 1966, sont désormais réservées aux grandes agglomérations de plus de 500 000 habitants. L'aménagement de l'espace (cf. planification des sols) et la protection de l'environnement sont des compétences qui leur sont largement transférées. Les **communautés d'agglomération**, instituées par la nouvelle loi et destinées aux agglomérations moyennes d'au moins 50 000 habitants autour d'une ville-centre d'au moins 15 000 habitants, se voient aussi conférer de larges compétences en matière d'aménagement de l'espace, de politique de la ville et de l'habitat. Quant aux **communautés de communes**, prévues, elles exercent de plein droit des compétences relevant de l'aménagement de l'espace communautaire dont les conseils municipaux précisent l'étendue surtout en milieu rural.

C. Organismes aménageurs

Lorsqu'elles ne réalisent pas elles-mêmes, en régie, les opérations d'aménagement ou lorsqu'elles n'en confient pas l'exécution à des sociétés privées, les collectivités locales peuvent s'adresser à des **organismes publics ou parapublics**. Elles peuvent aussi favoriser les actions entreprises par les propriétaires, regroupés en associations foncières urbaines (**AFU**).

1. Les organismes publics ou parapublics

Délégataires de l'aménagement et des interventions foncières, ils bénéficient souvent, lorsqu'ils sont concessionnaires, de prérogatives de puissance publique tels que le droit de préemption et d'expropriation.

a) Les établissements publics d'aménagement urbain
(art. L. 321-1 à L. 321-8)

Prévus dès 1954 avec un statut d'**EPIC**, ils sont créés par décret en Conseil d'État et accueillent, pour moitié au moins, dans leur conseil d'administration des représentants des collectivités locales intéressées. Les études, travaux, acquisitions foncières envisagés sont inscrits dans une convention passée entre la collectivité et l'établissement. Le recours à cette formule a été rendu **obligatoire** par le législateur pour toutes les **agglomérations nouvelles**. Les autres créations sont demeurées rares et réservées à des opérations d'une envergure particulière : EP d'aménagement de La Défense (EPAD) créé en 1958, agence foncière et technique de la région d'Île-de-France créée en 1962, EP de la Basse-Seine créé en 1958, EP de la Métropole lorraine créé en 1973.

b) Les sociétés d'économie mixte d'aménagement

Elles sont désormais soumises au droit commun des **SEM locales** réformé par la **loi du 7 juillet 1983** et la **loi du 2 janvier 2002** qui, tout en cherchant à favoriser leur liberté d'action, a voulu améliorer le **contrôle exercé par les collectivités locales**. Dotées du statut de société anonyme, la majorité de leur capital social est détenu par les collectivités locales et leurs groupements lesquels ont la majorité des voix dans les organes délibérants.

Les SEML peuvent se voir confier par les collectivités publiques des opérations d'aménagement urbain soit par simple convention d'aménagement, soit par une « *convention publique d'aménagement* », expression introduite par la loi SRU et qui remplace les anciennes concessions d'aménagement.

c) Les établissements publics foncier locaux (art. L. 324-1 à L. 324-3)

Créés par la **loi d'orientation pour la ville** de 1991, leur régime a été précisé par la loi SRU. Ils ont la qualité d'EPIC et ont compétence pour réaliser – pour leur compte ou celui de toute personne publique – « *toute acquisition foncière ou immobilière en vue de la constitution de réserves foncières ou de la réalisation d'actions ou d'opérations d'aménagement au sens de l'article L. 300-1* ».

Ils peuvent exercer par délégation de leurs titulaires le droit de **préemption** et agir par voie d'**expropriation.** Aucune opération ne peut être réalisée sans l'avis favorable de la commune.

L'établissement est créé par le préfet, au vu des délibérations concordantes des conseils municipaux ou des organes délibérants des EPCI.

d) Les organismes d'HLM

• La loi du **18 juillet 1985** (art. 29) et celle du **13 juillet 1991** ont renforcé leurs compétences en matière d'aménagement en élargissant leur mission traditionnelle de construction et de gestion des logements sociaux.

• Les **offices publics d'aménagement et de construction (OPAC), au statut d'EPIC,** disposent de pouvoirs étendus, pouvant réaliser pour leur compte ou pour le compte de tiers « toutes les interventions foncières ou opérations d'aménagement prévues par le Code de l'urbanisme ». La loi SRU étend leur compétence à l'ensemble des opérations de renouvellement urbain.

• Les **offices publics d'HLM traditionnels, au statut d'EPA** peuvent, s'ils sont autorisés par leur collectivité territoriale de rattachement, exercer aussi tout ou partie de ces compétences.

Un regroupement des deux catégories d'offices est envisagé.

• Quant aux sociétés **anonymes privées d'HLM**, elles peuvent lorsqu'elles ont été agréées à cet effet, réaliser des opérations d'aménagement mais non des interventions foncières.

La **loi SRU, du 13 décembre 2000** afin de renforcer la mise en œuvre du principe de mixité sociale, défini par la loi de 1991, instaure une obligation pour les communes de plus de 3 500 habitants de réaliser un nombre de logements sociaux (notion que la loi précise) au **moins égal à 20 % des résidences principales**. Un prélèvement sera opéré chaque année sur les ressources fiscales des communes récalcitrantes, calculé par logement manquant par rapport au seuil à atteindre.

La **loi *MURCEF du 11 décembre 2001*** permet aux préfets de prendre des arrêtés de carence modulant les délais et le montant des majorations.

e) Les architectes

La **loi du 23 janvier 1977** affirme dans son article 1er : « **L'architecture est une expression de la culture. La création architecturale, la qualité des constructions, leur insertion harmonieuse dans le milieu environnant, le respect des paysages naturels ou urbains ainsi que du patrimoine sont d'intérêt public.** »

L'intervention obligatoire des architectes est prévue à l'article 3 de la loi s'agissant de la mise au point d'un « projet architectural » préalable à la délivrance de l'autorisation de construire. Mais elle ne concerne que les constructions d'une certaine superficie (cf. *infra*) et certains souhaitent – en particulier le corps des architectes, désormais rattachés au ministère de la Culture – une extension de l'obligation, position combattue par ailleurs.

Quant à un autre débat, celui de la **liberté de la création architecturale**, il se résume, en droit de l'urbanisme, à la question de savoir si la création narcissique d'un « bel objet », rêve naturel de tout architecte, est totalement libre ou si elle est encadrée par les règles, maintes fois martelées par le Code de l'urbanisme, d'insertion harmonieuse dans l'environnement et de non-atteinte aux sites et paysages naturels ou urbains. Jusqu'où doit aller la liberté des personnes publiques pour passer commande de constructions soit affligeantes de banalité, soit en disharmonie avec l'environnement urbain ? La réalisation des constructions publiques pour le compte de l'État fut souvent, à cet égard catastrophique.

2. LA PRISE EN CHARGE DE L'AMÉNAGEMENT PAR LES PROPRIÉTAIRES : LES ASSOCIATIONS FONCIÈRES URBAINES (AFU) (art. L. 322-1 à L. 322-11)

• Les **AFU** sont une variante récente des **associations syndicales de propriétaires** nées au XIXe siècle (loi de 1865), afin de permettre le regroupement de propriétaires fonciers en vue de la réalisation de travaux d'intérêt collectif dont ils étaient les bénéficiaires (cf. lutte contre l'érosion, contre les incendies de forêts…).

• Prévues pour des opérations de reconstruction et de remembrement après les deux guerres mondiales, elles se développèrent lorsque la LOF du 30 décembre 1967 leur donna leur statut actuel d'associations foncières urbaines et lorsque la loi aménagement du 18 juillet 1985 assouplit leur régime.

• Comme toutes les associations syndicales de propriétaires, elles peuvent prendre trois formes : **libres**, avec un statut de droit privé, leur création supposant le consentement unanime des propriétaires concernés ; **autorisées**, à la suite d'une entente entre les 2/3 au moins des propriétaires détenant les 2/3 au moins de la superficie ; ou forcées, dont il n'existe encore aucun exemple. Dans ces deux dernières hypothèses, les AFU ont le statut d'**établissement public**, selon la célèbre jurisprudence TC 9 décembre 1899, « *Ass. syndicale du canal de Gignac* ». Elles peuvent percevoir des taxes – dont le recouvrement intervient comme en matière de contributions directes – et bénéficier du pouvoir d'exproprier.

• Les AFU peuvent poursuivre plusieurs objets : le **remembrement de parcelles** favorisant en milieu urbain le remodelage d'une configuration défectueuse de terrains ; **le**

groupement de parcelles « en vue soit d'en conférer l'usage à un tiers, notamment par bail à construction, soit d'en faire apport ou d'en faire la vente à une société de construction ou d'aménagement » ; **la construction, l'entretien ou la gestion** d'ouvrages d'intérêt collectif ; **la restauration immobilière** et, depuis la **loi du 14 novembre 1996**, « **la restructuration des grands ensembles et quartiers dégradés** ». Dans cette dernière hypothèse, l'AFU peut être constituée d'office (art. L. 322-2, C. urb.). Elle sera qualifiée AFIUS : association foncière d'intégration urbaine et sociale.

• Les **avantages** de ce système associatif sont évidents : participation directe des propriétaires fonciers à l'aménagement de leurs terrains, concertation souple avec les pouvoirs publics, avantages fiscaux tel le non-assujettissement à la TVA immobilière et la non-imposition de certaines plus-values.

• Pourtant la formule ne connaît qu'un **succès relatif**. Le nombre des AFU reste faible, la plupart concernant les AFU de remembrement. Il faut cependant signaler un essor remarquable depuis la réforme de 1985.

PREMIÈRE PARTIE
RÉGLEMENTER ET PLANIFIER

L'aménagement du territoire, les projets d'utilisation et d'affectation de l'espace ne peuvent se concevoir que de manière **prospective et évolutive**. Les sources du droit de l'urbanisme trouvent ainsi leur principal fondement dans des documents de **planification** dont la caractéristique est, désormais, une décentralisation poussée au profit des **communes**. Les contraintes apportées à l'utilisation du sol et à l'implantation des constructions ont aussi leur origine dans les **règles supracommunales et nationales**, garantie d'une application uniforme du droit, de la réalisation des grandes opérations d'intérêt national et de la protection du patrimoine naturel et culturel.

Cette **sédimentation** de textes complexes, parfois répétitifs, est l'aspect formel apparemment déroutant de la réglementation d'urbanisme. Elle contraint les utilisateurs à un décryptage des grandes lignes directrices. Les réformes sont souvent préparées sans que l'articulation avec les textes existants ait été recherchée et un double problème surgit : celui de l'harmonisation et de la cohérence entre les normes, celui de la clarté et de la simplification au nom de l'efficacité et de la sécurité juridique.

La loi SRU du 13 décembre 2000, dans son souci de cohérence territoriale, établit une nouvelle hiérarchie des normes dont elle cherche à simplifier l'élaboration et la mise en application.

TITRE I
La réglementation nationale centralisée 19

TITRE II
La planification locale décentralisée 40

TITRE I
La réglementation nationale centralisée

Pour la clarté des développements, les règles applicables à l'ensemble du territoire (chapitre I) seront différenciées de celles qui ne s'adressent qu'à certains espaces (chapitre II).

> ## CHAPITRE I
LES RÈGLES D'APPLICATION NATIONALE

> ## SECTION 1
Les règles générales de l'urbanisme

§1 CARACTÈRES

Ces règles, dont la plupart appartiennent à ce qu'il est convenu d'appeler le **règlement national d'urbanisme (RNU)**, sont nombreuses et hétéroclites. Même si elles en sont proches parfois, elles ne doivent pas être confondues avec les **règles générales de construction** énoncées aux articles R. 111-1 et s. du Code de la construction, lesquelles concernent surtout l'ordonnancement interne des constructions alors que les règles générales d'urbanisme traitent de leur aspect extérieur et de leur impact sur l'environnement urbain.

Sur **habilitation législative** (art. L. 111-1) elles ont été édictées par des **décrets** en Conseil d'État et sont codifiées aux articles R. 111-1 à R. 111-27.

L'uniformité et la généralité de leur champ d'application étendu à l'ensemble du territoire appelle un **assouplissement** dans leur mise en œuvre, d'où il résulte les conséquences suivantes :

• D'une part la plupart de ces règles n'ont qu'un caractère **supplétif.** Elles ne s'appliquent que dans les communes non dotées d'un PLU. Certaines règles concernant en particulier la sécurité et la salubrité sont cependant d'ordre public et d'application générale.

• D'autre part, à l'exception des règles de prospect qui sont **impératives** et lient l'administration, la plupart de ces dispositions sont **permissives** c'est-à-dire qu'elles laissent aux autorités administratives un **large pouvoir discrétionnaire d'appréciation** pour refuser les permis de construire ou ne les accorder que sous condition lorsque certaines circonstances, elles-mêmes appréciées assez librement, se rencontrent. À l'égard de ces règles permissives, le contrôle du juge sera **restreint** dans l'hypothèse d'un octroi de permis de construire. À l'égard des règles impératives le juge exerce un contrôle normal.

• Enfin, des **dérogations** peuvent être apportées aux règles n'ayant pas un caractère permissif afin de les préserver d'une rigidité paralysante.

§2 CONTENU

Le Code regroupe les règles générales de l'urbanisme sous trois rubriques.

A. La localisation et la desserte des constructions

Ces règles sont pour la plupart permissives, et concernent :

1. LA SALUBRITÉ ET LA SÉCURITÉ PUBLIQUE

Le permis de construire pourra être refusé ou n'être accordé que conditionnellement si les constructions « **par leur situation ou leurs dimensions** » sont de nature à porter atteinte à la salubrité et la sécurité publique (art. R. 111-2). Sont ainsi envisagées les nuisances graves notamment le bruit (art. R. 111-3-1), les servitudes *non aedificandi* à proximité des voies publiques (art. R. 111-5 et 6) : soit 50 mètres de part et d'autre de l'axe des autoroutes et 35 mètres de part et d'autre de l'axe des grands itinéraires, dispositions qui ne s'appliquent pas à l'intérieur des agglomérations. De nombreuses règles s'attachent enfin aux questions d'assainissement et de distribution d'eau.

L'article R. 111-3 qui concernait les terrains exposés à un **risque naturel** a été supprimé depuis que ces questions sont globalement traitées par les « **plans de prévisions des risques naturels prévisibles** » (PPR) prévus par la loi du 2 février 1995. Sont aussi traités à part les **risques technologiques** incluant, notamment, la délimitation de périmètres de protection autour des installations classées (art. L. 421-8) et les **risques d'insécurité urbaine** justifiant des « études de sécurité » (art. L. 111-3-1).

2. LA PROTECTION DU PATRIMOINE ÉCOLOGIQUE ET CULTUREL

Les autorités chargées d'instruire les autorisations de construire ont à leur disposition des outils efficaces de protection de l'environnement contre les risques de « mitage » ou de compromission des activités agricoles et forestières par des constructions de nature « **à favoriser une urbanisation dispersée incompatible avec la vocation des espaces naturels environnants** » (art. R. 111-14-1). Cette protection s'étend aux atteintes portées à la conservation ou à la mise en valeur d'un site ou de vestiges archéologiques (art. R. 111-3-2) et, plus généralement, le permis sera assorti de prescriptions spéciales si les constructions « **sont de nature à avoir des conséquences dommageables pour l'environnement** » (art. R. 111-14-2).

3. LA RÉALISATION DES ÉQUIPEMENTS COLLECTIFS

Les constructeurs privés se voient contraints de participer à la réalisation de certains équipements collectifs, faute de quoi les autorisations de construire leur seraient refusées. C'est le cas pour les travaux de voirie, pour l'installation des réseaux de canalisations d'eau, gaz, électricité pour les réseaux de distribution d'eau et d'assainissement… lesquels doivent se conformer strictement à certaines conditions (art. R. 111-8 à R. 111-12), pour la réalisation des voies de desserte et des parcs de stationnement (art. R. 111-4), des aires de jeux et de loisirs (art. R. 111-7).

Par ailleurs, le souci de protection des deniers publics inspire la règle inscrite à l'**article R. 111-13** qui interdit ou soumet à prescription spéciale toute construction qui nécessiterait des **équipements publics trop coûteux** ou **hors de proportion** avec les ressources actuelles de la commune ou qui entraînerait un surcroît important des dépenses de fonctionnement des services publics.

4. La politique d'aménagement du territoire

L'article R. 111-15 permet de refuser le permis ou de ne l'autoriser que sous condition lorsque par leur importance, leur situation et leur affectation les constructions projetées contrarieraient l'action d'aménagement du territoire et d'urbanisme résultant des schémas directeurs intéressant les agglomérations nouvelles.

B. Implantation et volume des constructions

Inscrites aux articles R. 111-16 à R. 111-19, ces dispositions très techniques de **prospect** concernent les distances à respecter entre les bâtiments : 4 mètres minimum sur un même terrain, 3 mètres minimum par rapport aux fonds voisins ; la distance par rapport aux voies publiques doit être supérieure ou égale à la hauteur du bâtiment.

D'une manière générale, il s'agit de garantir l'**ensoleillement et la vue** par le respect d'un **minimum de distance** entre les constructions et d'une certaine proportionnalité entre leur hauteur et les limites séparatives des voies et propriétés voisines.

Ces règles complètent celles du Code de la construction et du Code civil concernant le respect de l'intimité de la vie privée. Pour la plupart impératives, elles sont susceptibles de dérogations.

C. Aspect des constructions

Si les articles R. 111-22 à R. 111-24 ne contiennent que des dispositions secondaires, il convient de mettre en relief le fameux article R. 111-21 aux termes duquel le permis peut être refusé ou soumis à prescriptions spéciales « si les constructions, par leur situation, leur architecture, leurs dimensions ou l'aspect extérieur des bâtiments ou ouvrages à édifier ou à modifier, sont de nature à **porter atteinte au caractère ou à l'intérêt des lieux avoisinants, aux sites, aux paysages naturels ou urbains** ainsi qu'à la conservation des perspectives monumentales ».

• Redouté des constructeurs, il offre d'une part la possibilité aux autorités administratives de préserver tout environnement naturel ou urbain digne d'intérêt contre les projets de construction qui y porteraient atteinte, mesure d'ordre public, applicable dans toute commune même dotée d'un PLU et donne, d'autre part, au juge administratif la liberté de pousser très avant son contrôle en sanctionnant les **erreurs manifestes** commises dans l'appréciation d'une condition légale aussi large que souple et dont l'inspiration, malaisée à transcrire en terme juridique, est ni plus ni moins l'**esthétique**.

• Pour un exemple d'**annulation** sur le fondement de l'article R. 111-21 : cf. CE 9 mai 1979 « *SCI Résidence de Castellon* » : erreur manifeste dans la délivrance du permis de construire 300 logements au bord d'un lac artificiel dont l'aspect sauvage devait être préservé, CE 3 février 1992, « *Commune de Saint-Pierre-d'Oléron* » : erreur manifeste dans la délivrance du permis de construire une dizaine de maisons individuelles dans un site littoral protégé. Voir aussi CE, 21 septembre 1992 ; « *SCI Juan-les-Pins Centre* » : à propos de la construction d'un ensemble immobilier dans un site inscrit, entraînant la disparition d'un espace en grande partie boisé et CAA Paris 10 février 1994, « *SCI Parc de Rentilly* ».

• On observera que les **annulations de permis** sur le fondement de R. 111-21 demeurent cependant rares, plus exceptionnelles que les annulations de **refus de permis**, le contrôle devenant alors « normal » et laissant davantage de pouvoirs au juge que la détection, toujours difficile, d'une erreur manifeste.

§3 MISE EN ŒUVRE. LES ANCIENNES ET NOUVELLES CARTES COMMUNALES

A. Origines

• Afin de donner un cadre d'orientation à l'application des règles imprécises et malléables du RNU, certaines communes, avec l'encouragement du ministère, se dotèrent de textes précisant la manière de les appliquer, documents qui prirent le nom de « **cartes communales** ». Comme cette méthode convenait bien, surtout aux petites communes rurales, le nombre de ces « cartes » s'accrut : 2 500 en 1977, plus de 6 000 en 1982.

• Dans un arrêt du 29 avril 1983, « *Ass. de défense des espaces ruraux et naturels de la commune de Regny* », le Conseil d'État leur reconnut la **valeur de directives** : les administrés ne peuvent en contester directement la légalité car les cartes n'ont pas de caractère réglementaire mais, à l'occasion d'une mesure d'application individuelle, telle une autorisation de construire, ils peuvent opposer leur contenu à l'administration.

B. Lien avec la règle de la constructibilité limitée

La loi du 7 janvier 1983 leur attribue une nouvelle fonction en **relation avec la règle de la constructibilité limitée** (cf. *infra*).

Cette règle avait pour finalité principale d'inciter toutes les communes y compris petites et rurales à se doter d'un POS. Dans l'hypothèse où aucun POS n'était en vigueur, le principe était l'inconstructibilité « **en dehors des parties actuellement urbanisées de la commune** ».

Mais ce principe souffrait de nombreuses **exceptions** « par nature » ou « ponctuelles » et voyait ses effets suspendus dans les territoires couverts par des **MARNU** (Modalités d'application du règlement national d'urbanisme), dont la nature et les effets juridiques semblaient devoir être identiques à ceux des cartes.

C. Nouvelles orientations

Le « chantage au POS » n'ayant pas produit les effets escomptés, la **loi du 19 août 1986** décide que les « modalités d'application », que l'on continue de qualifier « cartes communales », peuvent être élaborées **en l'absence de POS**. Une certaine **pérennité** peut même s'installer puisque tous les quatre ans le conseil municipal a la possibilité de confirmer ces cartes.

Cette autonomie nouvelle des « modalités d'application » du RNU par rapport au POS et le fait que leurs dispositions nées d'une **concertation volontaire** entre les communes et les services de l'État, sont lestées d'une réelle **autorité** ont conduit certains auteurs à considérer que, depuis la loi de 1986, ces documents sont des **décisions faisant grief**, proches des POS simplifiés prévus par la loi du 7 janvier 1983. Le Conseil d'État leur a donné raison en estimant qu'une carte communale est un acte faisant grief, opposable aux tiers : CE 22 juillet 1992, « *Syndicat viticole de Pessac* ».

Les cartes communales, qui retrouvent leur qualification première, deviennent des **documents d'urbanisme** à part entière dans la **loi SRU**, leur régime étant fixé par les articles L. 124-1 à L. 124-3. Elles précisent les modalités d'application du RNU et délimitent des secteurs constructibles et des secteurs qui ne le sont pas. Les cartes doivent être compatibles avec les SCOT. Elles sont, le cas échéant, élaborées dans le cadre de groupements intercommunaux. Formellement, elles comportent des documents graphiques et un rapport de présentation. Lorsqu'une carte communale est en vigueur, le maire délivre les autorisations au nom de la commune.

> ## SECTION 2
Les servitudes d'utilité publique affectant l'utilisation du sol

§1 CARACTÈRES

Ce sont des **servitudes administratives de droit public** limitant, dans l'intérêt général, le droit de propriété et d'usage du sol.

Prévues à l'article L. 126-1, elles ont un champ d'application générale et trouvent moins leur fondement dans le Code de l'urbanisme que dans des textes spécifiques.

Mises en œuvre par les services de l'État, elles s'imposent aux autorités décentralisées lors de l'élaboration des documents d'urbanisme : elles doivent figurer **en annexe des PLU**.

Le préfet peut **mettre en demeure** le maire d'annexer les servitudes et, en cas de refus, y procéder d'office. Cette disposition atteste de la portée nationale des servitudes et de la contrainte que peuvent faire peser les services de l'État pour les imposer.

§2 CONTENU

L'article R. 126-1 dresse la liste d'une soixantaine de servitudes. **Très diverses** elles sont regroupées sous les rubriques suivantes :

• **Servitudes relatives à la conservation du patrimoine naturel, culturel et sportif.** Elles rassemblent les servitudes de protection des forêts, les servitudes de passage sur le littoral, les réserves naturelles, les parcs nationaux, la protection autour des monuments historiques et des sites.

• **Servitudes relatives à l'utilisation de certaines ressources et équipements.** Elles concernent, en particulier, la pose des canalisations de transport et de distribution de gaz, d'électricité, d'eau, des produits chimiques, des hydrocarbures ; la servitude de halage le long des cours d'eau, les servitudes d'alignement, celles de dégagement et balisage pour la circulation aérienne, celles attachées aux réseaux de télécommunication.

• **Servitudes relatives à la défense nationale**, telles celles établies autour des champs de tir et autour des entrepôts de munitions.

• **Servitudes relatives à la salubrité et à la sécurité publique**, telles les protections établies autour des établissements de conchyliculture et celles relatives aux cimetières.

• **Servitude relative aux « entrées de ville »** : la loi du 2 février 1995 décide qu'en dehors des espaces urbanisés les constructions sont interdites sur une **bande de 100 mètres** de part et d'autre de l'axe des autoroutes et des routes express (75 mètres pour les routes à grande circulation), (art. L.111-1-4). Cette disposition ne concerne que les parties « non urbanisées ». Elle est intervenue bien tardivement alors que les entrées de ville offusquaient déjà la vue par leur laideur.

• Le contenu de ces servitudes est précisé dans différents textes, souvent codifiés : Code forestier, Code des communes, Code rural, Code minier… auxquels l'article R. 126-1 renvoie.

§3 SERVITUDES D'UTILITÉ PUBLIQUE ET SERVITUDES D'URBANISME. VERS UNE INDEMNISATION ?

Outre les **servitudes d'utilité publique** d'application nationale, d'autres **servitudes**, dites **d'urbanisme**, trouvent leur fondement dans les documents d'urbanisme, en particulier le PLU, et sont donc d'application locale. Il peut s'agir de servitudes **passives** : interdiction de construire, de dépasser certaines hauteurs, ou de servitudes **actives** : obligation de faire des plantations, de respecter certaines règles de construction…

Les servitudes d'utilité publique peuvent donner lieu à **indemnisation** contrairement aux servitudes d'urbanisme qui, en vertu de l'article L. 160-5, dont l'origine remonte à la loi de 1943, n'ouvrent droit à **aucune indemnité**. Deux exceptions sont prévues : lorsque la servitude d'urbanisme a porté atteinte à un droit acquis ; et s'il résulte de la servitude « une modification à l'état antérieur des lieux déterminant un dommage direct, matériel et certain ». Ces situations se rencontrent rarement.

La **justification** du principe de non-indemnisation des servitudes d'urbanisme est d'ordre pratique : la protection des deniers publics et cherche à se justifier par l'effacement des intérêts privés devant l'intérêt général.

La **généralisation** du champ d'application de l'article L. 160-5 et la rigueur des conséquences qu'elle entraîne ont souvent été critiquées par la doctrine qui s'interroge pour savoir si la jurisprudence, notamment celle de la **Cour européenne des droits de l'homme** ne conduirait pas à un assouplissement.

La CEDH faisant application de l'article 1er du Protocole additionnel n° 1 de la Convention a précisé que le fait de placer des propriétaires sous la menace d'une expropriation pendant plus de vingt ans rompait l'équilibre entre le respect du droit de propriété et les exigences de l'intérêt général : CEDH 24 septembre 1981 « *Sporrong et Lönnroth* ».

Et la Cour a estimé que le zonage d'un plan d'urbanisme pouvait constituer une ingérence dans l'exercice du droit de propriété mais elle ne s'est pas prononcée sur une éventuelle indemnisation : CEDH 19 septembre 1994, « *Katte Klitsche de la Grange c/Italie* ».

L'avancée attendue de la jurisprudence CE 3 juillet 1998, « *Bitouzet* » reste timide. La Haute juridiction ajoute une troisième hypothèse d'indemnisation, celle où « le propriétaire supporte une charge spéciale et exorbitante, hors de proportion avec l'objectif d'intérêt général poursuivi », condition elle- même très restrictive.

> SECTION 3

Les principes généraux du droit de l'urbanisme

La nécessité de réaliser un équilibre harmonieux entre l'objectif d'aménagement et celui de protection de l'environnement avait conduit le législature **à encadrer le droit de l'urbanisme par de grands principes mobilisateurs**. La loi SRU élargit ces objectifs en insistant sur la mixité et la solidarité sociale.

§1 L'ARTICLE L. 111-1-1

Introduit dans le code de l'urbanisme par la loi du 7 janvier 1983, il prévoyait que des « **lois d'aménagement et d'urbanisme fixent des dispositions nationales ou particulières à certaines parties du territoire** ».

Il s'agissait, parallèlement à la décentralisation qui venait d'être consacrée, de rappeler le rôle de l'État dans l'édiction des mesures générales concernant le territoire national. L'intervention du législateur, donnait une légitimité nouvelle à ces grandes orientations, auparavant confiées à de simples « directives d'aménagement national » dont la portée juridique restait faible : CE 24 juillet 1981, « *Ass. pour la sauvegarde du pays de Rhuys* ».

L'article L. 111-1-1, dans la rédaction de 1983, prévoyait que les lois d'aménagement et d'urbanisme seraient complétées par des « **prescriptions nationales ou particulières** ». Celles-ci ne virent jamais le jour et la loi du 4 février 1995 les a remplacées par des **directives territoriales d'aménagement** (DTA) en cours de préparation.

La loi SRU supprime la qualification (sans intérêt) de lois d'aménagement et d'urbanisme. Elle confirme l'existence des DTA avec lesquelles les SCOT devront être compatibles (cf. *infra*).

§2 L'ARTICLE L. 110

Il ouvre le code de l'urbanisme et trouve son origine dans la loi du 7 janvier 1983. Après avoir proclamé que « **le territoire français est le patrimoine de la nation** », il insiste sur les responsabilités de chaque collectivité publique « gestionnaire et garant dans le cadre de ses compétences » et sur la nécessité d'« harmoniser » les prévisions et décisions d'utilisation de l'espace.

Surchargé par la suite, notamment par la loi de 1991, il met en relief l'impératif d'« équilibre » pour assurer la gestion « économe » du sol, la protection des milieux naturels et des paysages, des conditions d'habitat d'emploi, de services et de transports répondant à la diversité des besoins et des ressources. Ces finalités se retrouvent dans les nouveaux articles L. 121-1 et L. 121-2.

§3 L'ARTICLE L. 121-1

Il **ouvre la loi SRU** (art. 1er) et dispose que les documents locaux d'urbanisme nouvelle manière, c'est-à-dire les schémas de cohérence territoriale, les plans locaux d'urbanisme et les cartes communales, « déterminent les conditions permettant d'assurer » le respect d'un certain nombre de principes.

L'article L.121-1 remplace l'ancien **article L. 121-10**, considéré comme une loi d'aménagement et d'urbanisme (au sens de l'article L. 111-1-1). Cet article fondateur avait promu le « **principe d'équilibre** » comme source d'inspiration des collectivités locales dans l'élaboration et la mise en œuvre de leurs documents d'urbanisme.

Le nouvel **article L. 121-1** confirme l'importance du principe d'équilibre mais procède à une **reformulation des intérêts en présence** lesquels sont regroupés en trois groupes. Le premier concerne l'équilibre entre développement et environnement, les termes retenus correspondant à des concepts devenus prioritaires. Sont évoqués le « **renouvellement urbain** » et le « **développement urbain maîtrisé** », ainsi que le développement de l'espace rural, lesquels doivent s'harmoniser avec la protection des espaces naturels et des paysages et la préservation des espaces affectés aux activités agricoles et forestières, dans le respect des objectifs du « **développement durable** », notion clé désormais des politiques économiques et environnementales. Hormis la réécriture renouvelée, il n'y a là que confirmation de l'ancien article L. 121-10. Les deux autres groupes d'intérêt envisagés sont plus novateurs.

L'un concerne les finalités sociales de la politique urbaine. Il s'agit de préserver la **mixité sociale** dans l'habitat urbain et rural en prévoyant des capacités de construction et de réhabilitation suffisantes – ce qui annonce les contraintes nouvelles en matière de logements sociaux – et de prévoir la satisfaction, sans discrimination, des besoins futurs et présents en tenant compte de « **l'équilibre entre emploi et habitat ainsi que des moyens de transport et de gestion des eaux** ».

L'autre concerne la prise en compte des pollutions et nuisances, des risques naturels et technologiques, de la maîtrise des déplacements, urbains, de la qualité de l'air, de l'eau, des milieux et de la préservation du patrimoine bâti.

L'article L. 121-2 rappelle le rôle de l'État pour faire respecter ces principes. Il renforce l'obligation d'information du préfet qui, au fur et à mesure qu'ils lui parviennent doit donner tous les renseignements nécessaires aux collectivités locales pour l'exercice de leurs compétences, et mettre à la disposition du public ces informations qui incluent aussi les études techniques sur la prévention des risques et la protection de l'environnement.

§4 LES EFFETS JURIDIQUES

Ces principes, inscrits dans des lois qui perdent leur qualification « loi d'aménagement et d'urbanisme », – laquelle n'avait, comme il a été dit guère d'intérêt – ont la portée de règles d'application générale.

Leur respect s'impose aux autorités chargées de la rédaction des documents locaux d'urbanisme dans une relation de **compatibilité** moins forte certes que celle de conformité mais qui laissera place à des annulations par le juge de documents contenant des dispositions incompatibles avec ces principes. Ce contrôle contentieux est un contrôle normal et non restreint à l'erreur manifesté d'appréciation : CE 10 février 1997, « *Ass. défense des sites de Théoule* ».

Les trois lois prises en application de l'article L. 111-1-1 (cf. *infra*) ont prévu expressément qu'elles étaient opposables directement aux autorisations individuelles (s'agissant notamment des lois montagne et littoral).

Quant à l'article L. 121-1, ses dispositions **ne s'imposent pas directement aux autorisations individuelles.** S'agissant de leur portée à l'égard des documents d'urbanisme, le **Conseil constitutionnel**, dans une décision du **7 décembre 2000, fait une réserve d'interprétation et** précise « qu'eu égard à l'imprécision des objectifs » ces dispositions ne soumettent pas les collectivités locales à une « obligation de résultat », leur imposant seulement de prendre « les mesures tendant à la réalisation des objectifs qu'elles énoncent ». Le juge n'exercera, en conséquence, qu'un simple contrôle de comptabilité.

> CHAPITRE II

LES RÈGLES ET DOCUMENTS APPLICABLES À CERTAINS ESPACES

Le principe d'équilibre entre la protection et l'aménagement inspire des régimes aussi divers que complexes. **L'aménagement** est la raison d'être des projets d'intérêt général (PIG) et des opérations d'intérêt national qui s'imposeront aux collectivités décentralisées même réticentes. La **mise en valeur** associée à la **protection** d'un patrimoine fragile inspire les régimes propres à la montagne et au littoral, les schémas de mise en valeur de la mer (SMVM) ainsi que certains schémas régionaux d'aménagement. Cette indispensable pression de l'État, au nom de l'intérêt général, n'exclut pas la coopération avec les collectivités locales mais la décision appartient, en dernier ressort, aux autorités de l'État initiatrices des projets.

> SECTION 1
Les législations spécifiques

§1 LE DÉVELOPPEMENT ET LA PROTECTION DE LA MONTAGNE. LA LOI DU 9 JANVIER 1985

Menacée par l'implantation, au cœur de ses plus beaux massifs, de stations de sports d'hiver ou de tourisme estival nécessitant de lourds aménagements, la montagne appelle une réglementation d'urbanisme spécifique. La directive d'aménagement national du 22 novembre 1977 dota les zones de montagne de règles d'urbanisme propres, régime qui fut remodelé par **la loi du 9 janvier 1985**, texte complexe mêlant, comme la loi littoral, de simples déclarations d'intention à des réglementations précises et des considérations économiques et sociales à des règles purement juridiques.

A. Champ d'application

Ces dispositions ont été codifiées aux articles **L. 145-1 à L. 145-13** et ont, pour la plupart, valeur de prescriptions d'urbanisme opposables aux utilisateurs du sol. Les PLU et autres documents d'urbanisme doivent être compatibles avec elles.

À la différence du littoral qui permet une approche plus globale, la délimitation des espaces montagneux se fait par zones, définies par arrêté ministériel. Les zones de montagne ont été regroupées en **8 massifs** : Alpes du Nord, Alpes du Sud, Corse, Massif central, Jura, Vosges, Pyrénées, Réunion. Ils reçoivent des crédits de la part du FIDAR (fonds interministériel de développement d'aménagement rural). On estime que 1/5 du territoire national, 43 départements et 5 400 communes sont concernés par la loi mais seulement 7 % de la population.

La loi « Montagne » a créé deux institutions nouvelles. L'une intervient au niveau national : le **conseil national de la montagne** présidé par le Premier ministre, qui regroupe des parlementaires et des représentants des diverses organisations socio-économiques ; les autres interviennent au niveau local : les **comités de massif**. Ces organismes n'ont pas de compétence décisionnelle et se contentent de faire des propositions et d'émettre des avis sur les priorités d'intervention, les aides financières, les projets d'UTN et de DTA.

B. Aménagement

1. EXTENSION DE L'URBANISATION EN CONTINUITÉ OU EN HAMEAUX NOUVEAUX INTÉGRÉS À L'ENVIRONNEMENT (art. L. 145-3-III)

Disposition que l'on retrouve dans la loi littoral, elle tend à éviter le « mitage » et à circonscrire l'habitat dans un tissu urbain homogène. La notion de « hameau nouveau » appelle des précisions jurisprudentielles. Une conception trop extensive sera sanctionnée : **CE 9 octobre 1989**, « *Sepanso* », **CE 14 décembre 1992** « *Commune de Saint-Gervais-les-Bains* ». L'urbanisation en discontinuité peut, selon la loi SRU, être envisagée : création de zones d'urbanisation future, de taille et de capacité limitée, autorisées à titre exceptionnel après accord de la commission des sites et de la chambre d'agriculture.

2. PRISE EN COMPTE DES COMMUNAUTÉS D'INTÉRÊT ET DE L'ÉQUILIBRE DES ACTIVITÉS ÉCONOMIQUES ET DE LOISIRS (art. L. 145-3-IV)

Le développement touristique doit prendre en compte les communautés d'intérêt des collectivités locales concernées, favoriser l'équilibre entre les différentes activités économiques et de loisirs et l'utilisation rationnelle du patrimoine bâti pour un taux d'occupation le plus élevé possible. Le périmètre des SCOT tient compte de cette communauté d'intérêts économiques et sociaux (**art. L. 145-4**).

C. Protection

1. PRÉSERVATION DES ACTIVITÉS TRADITIONNELLES (art. L. 145-3-I)

Les terres nécessaires au maintien et au développement des activités agricoles, pastorales et forestières doivent être préservées. Cette nécessité s'apprécie selon des critères économiques (rôle et situation des terrains dans le système d'exploitation) et des critères physiques (situation, relief, pente, exposition). Mais des exceptions sont prévues pour les constructions utiles à ces activités ou liées à la pratique du ski et de la randonnée.

2. PRÉSERVATION DU PATRIMOINE NATUREL ET CULTUREL MONTAGNARD (art. L. 145-3-II)

Les documents d'urbanisme et les décisions relatives à l'occupation des sols comportent des dispositions propres à favoriser cette préservation.

3. PROTECTION DES PLANS D'EAU

L'article L. 145-5 dispose que les parties naturelles des rives des plans d'eau naturels ou artificiels d'une superficie inférieure à 1 000 hectares sont protégées sur une distance de **300 mètres** à partir de la rive. Les constructions, installations, affouillements, routes nouvelles y sont interdits.

Mais, comme sur la bande littorale des 100 mètres (cf. *infra*), des **exceptions** sont susceptibles de venir affaiblir la portée de cette interdiction. Outre les dérogations autorisant les bâtiments à usage agricole, pastoral ou forestier et certaines installations touristiques et scientifiques, les PLU peuvent accepter l'« **extension mesurée** » d'une agglomération existante dans le respect du paysage et des caractéristiques propres à cet espace sensible.

La **jurisprudence** a donné une interprétation rigoureuse de cette notion : affaire du lac de Fabrèges, CE 20 janvier 1988 : « *Sepanso* ». L'annulation du projet d'aménagement (par ailleurs achevé) conduisit à une **validation législative**. L'article 7 de la loi du 9 février 1994 ajoute à l'article L. 145-5 un alinéa permettant d'autoriser l'implantation sur les rives d'un plan d'eau artificiel d'une opération d'urbanisation « **intégrée à l'environnement** » dont la superficie n'excède pas **30 000 m²** (ce qui correspondait, par ailleurs, à la première tranche de l'opération de Fabrèges).

La loi de 1994 rend obligatoire l'avis de la commission départementale des sites et la double intervention des ministres de l'Urbanisme et de l'Environnement pour accorder l'autorisation, sous condition de desserte.

4. INTERDICTION DES ROUTES PANORAMIQUES

L'article **L. 145-6** interdit la création de routes nouvelles, de vision panoramique, de corniche ou de bouclage au-dessus de la limite forestière. Quelques exceptions justifiées par le désenclavement ou des considérations de défense nationale sont prévues.

5. CHALETS D'ALPAGE

Le préfet, après avis de la commission départementale des sites, peut autoriser leur restauration sous condition de desserte.

D. Les unités touristiques nouvelles (UTN)

Il s'agit de permettre la réalisation d'opérations d'une certaine ampleur et de les soumettre aux principes protecteurs de la loi montagne.

1. DÉFINITION

Est considérée comme UTN toute opération de **développement touristique** en zone de montagne ayant pour objet ou pour effet : d'une part, de créer une urbanisation soit dans un **site encore vierge** de tout équipement, soit **en discontinuité** avec les aménagements existants, d'autre part d'entraîner une **augmentation de la capacité d'hébergement touristique** de plus de 8 000 m² ou une extension significative des remontées mécaniques (**art. L. 145-9**).

2. CRÉATION

Les UTN ne peuvent être créées que dans les communes disposant d'un PLU opposable aux tiers.

La demande d'autorisation est faite par la collectivité locale concernée. Le dossier de réalisation est mis à la disposition du public et soumis pour avis au Comité de massif. L'autorisation est délivrée par le **préfet**. Elle est un préalable aux autorisations de construire.

L'implantation des UTN doit respecter les principes de la loi montagne à l'exception de celui d'urbanisation en continuité. L'UTN doit « par sa localisation, sa conception et sa réalisation, respecter la qualité des sites et les grands équilibres naturels ». Ce respect a été constaté dans l'arrêt CE 15 mai 1992 « *Commune de Cruseilles* » mais non reconnu dans l'affaire CE 10 décembre 1993, « *M. Équipement c/ARPON* ».

La loi montagne doit faire l'objet d'une révision tendant à assouplir certaines de ses dispositions afin, notamment, de faciliter la réhabilitation des bâtiments anciens et de tenir compte des circonstances locales pour admettre une certaine discontinuité. La loi SRU prévoit l'élaboration de prescriptions particulières à certains massifs lorsqu'une DTA ne s'impose pas.

§2 L'aménagement, la protection et la mise en valeur du littoral. La loi du 3 janvier 1986

Objet d'une **convoitise** encore plus précoce et généralisée, le littoral français avait déjà subi les méfaits d'une urbanisation sauvage lorsque la directive d'aménagement du 25 août 1979 tenta de mettre en œuvre les premières mesures significatives de protection. **La loi du 3 janvier 1986** a repris et renforcé ces dispositions dont la plupart figurent aux articles **L. 146-1 à L. 146-9**.

A. Champ d'application

Il n'existe pas de définition juridique du littoral et le législateur a pris en compte trois catégories de communes : celles **riveraines** des mers, océans, étangs salés et plans d'eau d'une superficie supérieure à 1 000 hectares ; celles riveraines de certains estuaires et deltas et, à **leur demande**, celles proches des précédentes qui participent aux équilibres économiques et écologiques littoraux. La liste en est fixée par décret en Conseil d'État.

Le littoral français accueille environ 1/12 de la population française et bien davantage en période touristique. Compte tenu du « mitage », plus de la moitié de ses 7 000 km est déjà urbanisée (98 % dans les Alpes maritimes). Le Conservatoire de l'espace littoral et des rivages lacustres, EPA national qui poursuit une finalité d'acquisition et de gestion protectrice de l'environnement, a acquis près de 8 % du linéaire côtier.

Dans un arrêt **CE 28 juillet 2000** « *Ass. France-Nature-Environnement* », la Haute juridiction, faisant usage des pouvoirs d'injonction prévus par la loi du 8 février 1995, enjoint au Premier ministre de prendre, dans un délai de 6 mois (avec condamnation à astreinte en cas de non-exécution), les décrets d'application de la loi littoral concernant la définition des communes littorales et des rives des estuaires. Un retard de 14 ans dans l'édition de ces décrets ne saurait être apprécié comme un délai « raisonnable ». Pour répondre à cette injonction, le gouvernement se hâte avec lenteur.

B. Aménagement

Il s'agit d'enrayer la densification déjà forte en localisant les constructions nouvelles et en les éloignant du rivage.

1. Non-remise en cause des espaces déjà urbanisés (art. L. 146-2)

La reconstruction et même l'extension des constructions récentes sont autorisées ainsi que les opérations de réhabilitation de l'habitat.

2. Extension de l'urbanisation en continuité ou en hameaux nouveaux intégrés à l'environnement (art. L. 146-4-I)

Ne pourront être autorisées que les constructions réalisées « **soit en continuité** avec les agglomérations et villages existants, soit en **hameaux nouveaux intégrés à l'environnement** ».

Les notions de continuité, c'est-à-dire de solidarité du tissu urbain, et celle d'agglomération qui exclut les constructions nouvelles dans les zones d'habitat dispersé sont peu à peu précisées par le juge.

3. EXTENSION LIMITÉE DE L'URBANISATION DANS LES ESPACES PROCHES DU RIVAGE
(art. L. 146-4-II)

La proximité du rivage ne fait pas entièrement obstacle à l'urbanisation. Mais celle-ci doit se fonder sur des justifications précises :
• Il peut tout d'abord s'agir de constructions compatibles avec un **SMVM** ou conformes aux dispositions d'un **SCOT** ou d'un schéma d'aménagement régional.
• La justification peut être recherchée dans le PLU mais à condition que les constructions soient rendues **nécessaires** par la configuration des lieux ou par l'accueil d'activités économiques **exigeant la proximité immédiate de l'eau**.
• En l'absence de l'un ou l'autre de ces documents, l'urbanisation peut être réalisée avec l'accord préalable du préfet et après avis de la commission départementale des sites.
La jurisprudence a précisé la notion d'« **espaces proches du rivage** ». D'une part ils peuvent s'étendre au-delà des collines : CE 12 février 1993, « *Commune de Gassin* » dans un espace proche cependant du rivage dont il est séparé par une ligne de crête. D'autre part l'extension de l'urbanisation doit rester « limitée ». Sont estimés dépasser les limites le vaste ensemble immobilier (44 870 m²) entourant le golf de Gassin (arrêt précité), le projet de 1 500 logements et 11 000 m² de superstructures : CE 29 mars 1993, « *Commune d'Argelès-sur-mer* », les 14 469 m² prévus dans un site de transition à proximité de sites inscrits ou classés : TA Nice 16 février 1995, « *Synd. de défense du Cap d'Antibes* ». La qualité du terrain d'implantation au regard de l'environnement est prise en compte par le juge. Seront estimées légales l'extension du palais des festivals de Cannes et celle du palais de la Méditerranée à Nice car situées dans des zones fortement urbanisées (CAA Marseille, 23 novembre et 6 juillet 2000).

C. Protection

1. INCONSTRUCTIBILITÉ DANS LA BANDE LITTORALE DES 100 MÈTRES
(art. L. 146-4-III)

« En dehors des espaces urbanisés, les constructions sont interdites sur une bande littorale de **100 mètres** à compter de la limite haute du rivage. »

La loi littoral affaiblit la portée de l'inconstructibilité par un double régime d'exception :
• d'une part l'inconstructibilité ne s'applique qu'« **en dehors des espaces urbanisés** ». Selon la jurisprudence, cette urbanisation ne s'apprécie pas seulement par référence au zonage du PLU mais en fonction de la situation réelle du terrain ;
• d'autre part, elle ne s'applique pas aux « constructions ou installations nécessaires à des services publics ou à des activités économiques **exigeant la proximité de l'eau** », ce qui conduit à des interprétations au cas par cas : cf. un centre de thalassothérapie ou un parc de stationnement n'exigent pas cette proximité immédiate alors des entreprises de réparation navale et des activités d'aquaculture l'imposent, ainsi qu'un atelier de mareyage : CE 23 juillet 1993, « *Commune de Plouguernau* ».

La **loi du 9 février 1994** est revenue sur un arrêt du Conseil d'État qui estimait, à propos de la **station d'épuration** de la ville de Toulon localisée en bord de mer, qu'une station d'épuration n'exigeait pas la présence immédiate de l'eau. Son article 8 autorise, à titre exceptionnel, les stations d'épuration dans la bande littorale, par arrêté conjoint des ministres de l'Urbanisme et de l'Environnement.

On ne manquera pas de regretter cet appel au législateur pour résoudre deux affaires particulières : **Fabrèges** (cf. *supra*) et la station du **Cap Sicié**, atteintes – hélas trop fréquentes – à la majesté de la loi.

La loi SRU a ajouté un *article L. 146-6-1* qui prévoit l'établissement d'un schéma d'aménagement autorisant le maintien ou la reconstruction d'aménagements existants dans la zone des 100 mètres. Le fait que le schéma doit être approuvé par décret en CE après enquête publique et avis de la commission des sites est une garantie pour la protection de l'environnement.

Né d'un amendement parlementaire, cet article serait, a-t-on dit, destiné à permettre un projet d'aménagement sur la plage de Pampelonne. Le premier projet de 2000 m² SHON – ce qui ne correspond pas, à l'évidence à un « aménagement léger » – a été annulé : *CE 23 octobre 2002, « Commune de Ramatuelle »*.

2. PROTECTION RENFORCÉE DES ESPACES LITTORAUX FRAGILES (art. L. 146-6)

a) Notion d'espaces fragiles protégés

La formule est extensive. Seront protégés « les espaces terrestres et marins, sites et paysages remarquables ou caractéristiques du patrimoine naturel et culturel du littoral et les milieux nécessaires au maintien des équilibres biologiques ». Le décret du 20 septembre 1989 en a donné la liste : forêts et zones boisées proches du rivage, dunes, landes, plages, lidos, estrans, falaises, marais, vasières, récifs coraliens, lagons, mangroves dans les DOM... **(art. R. 146-1)**.

La jurisprudence accorde la qualité d'espaces remarquables aux parties naturelles des sites classés ou inscrits cf. « *Commune de Ramatuelle* » précité. Plusieurs ZAC seront annulées du fait de leur situation dans un site remarquable.

b) Étendue de la protection

Dans ces espaces seuls, en principe, peuvent être installés des **aménagements** légers nécessaires à leur mise en valeur économique ou le cas échéant à leur ouverture au public. Un golf, un parc de stationnement, une aire de jeux ne sont pas des « aménagements légers » selon la jurisprudence. Il en est de même des aménagements prévus pour remplacer les « paillottes » de la plage de Pampelonne (arrêt précité).

3. BIENS CULTURELS MARITIMES. LOI DU 1ᵉʳ DÉCEMBRE 1989

La **loi du 1ᵉʳ décembre 1989** a soumis à un régime proche de celui des fouilles archéologiques terrestres les fouilles marines : **autorisation de prospection**, obligation de laisser sur place et de déclarer à l'administration (avec éventuellement la remise d'une « récompense ») la découverte des gisements, épaves, vestiges et généralement de tout bien présentant un intérêt archéologique ou historique, situés sur le domaine public maritime ou au fond de la mer dans la zone contiguë. V. aussi **loi du 17 janvier 2001** relative à l'archéologie préventive.

§3 L'URBANISME AU VOISINAGE DES AÉRODROMES. LA LOI DU 11 JUILLET 1985

Cette loi a pour objectif d'interdire ou limiter les constructions aux alentours des aérodromes afin d'améliorer les conditions de vie des riverains agressés par les nuisances sonores **(art. L. 147-1 à L. 147-6)**.

A. Champ d'application

La loi s'applique autour des aérodromes classés selon le Code de l'aviation civile en **trois catégories** : services à grande distance, moyenne distance et courte distance. 350 communes sont concernées regroupant 6 millions d'habitants dont 1 million de riverains.

B. Plans d'exposition au bruit (art. L. 147-3 et 4)

Ils sont élaborés **obligatoirement** autour des aérodromes par les services de l'État. Les plans sont soumis à enquête publique puis annexés au PLU dont les dispositions doivent être compatibles avec les prescriptions du plan qu'une jurisprudence récente assimile à un document d'urbanisme : CE 7 juillet 2000, « *Secrétaire d'État au Logement* ».

C. Interdictions de construire

1. LE CLASSEMENT

Selon divers indices mesurant la gêne due au bruit trois zones de bruit décroissant sont distinguées, en tenant compte des perspectives de développement de chaque aérodrome : bruit fort (zones A et B), bruit modéré (zone C). Des prescriptions particulières peuvent intervenir.

2. EFFETS (art. L. 147-5)

Le principe général d'**interdiction** d'extension de l'urbanisation et des équipements publics est assorti des précisions suivantes :

Les constructions à usage d'habitation, interdites en principe, seront exceptionnellement autorisées :
  – si elles sont nécessaires à l'activité aéronautique. Il en est de même pour les équipements publics ;
  – s'il s'agit de constructions individuelles non groupées situées dans des secteurs déjà urbanisés dès lors qu'elles n'entraînent qu'une **faible capacité nouvelle d'accueil**. Il en est de même pour les opérations de **rénovation** de l'habitat existant.

Ces dispositions sont modulées en fonction du classement en zones et de la gêne due au bruit.

Enfin, toutes les constructions qui seront autorisées en vertu de ces exceptions feront l'objet de mesures d'isolation acoustique selon un régime spécial.

La **loi « antibruit » du 31 décembre 1992** a renforcé ces dispositions, en prévoyant des « plans de gêne sonore » permettant de recenser les riverains particulièrement menacés et susceptibles de bénéficier d'aides. Elle institue une taxe pour l'atténuation des nuances sonores aux environs des aéroports, **taxe** désormais englobée dans la taxe générale pour les activités polluantes (TGAP).

La loi SRU prévoit une nouvelle possibilité de construction dans les zones C pour des opérations sur l'existant n'entraînant pas d'augmentation significative de la population.

> SECTION 2
Les opérations d'intérêt national

§1 STATUT

Il s'agit de **vastes opérations** inscrites dans la politique **d'aménagement du territoire** et dont la réalisation, par les enjeux en cause, échappe au droit commun de l'utilisation des sols.

Leur régime a été précisé par la loi du 7 janvier 1983 qui les légalise, les fait échapper à la règle de la constructibilité limitée et décide que les autorisations de construire dans leur périmètre continueront à être délivrées **au nom de l'État** même si la commune est dotée d'un POS approuvé.

§2 CHAMP D'APPLICATION

La liste est dressée à l'article **R. 490-5**. Il s'agit des travaux relatifs aux agglomérations nouvelles, à l'aménagement du quartier de la Défense, des domaines industrialo-portuaires d'Antifer, du Verdon et de Dunkerque (dans les périmètres respectifs des ports autonomes du Havre, de Bordeaux et de Dunkerque) de la zone de Fos-sur-Mer, de celle d'Euroméditerranée et de la Seine Arche à Nanterre.

§3 LES OPÉRATIONS D'AMÉNAGEMENT DANS LES AGGLOMÉRATIONS NOUVELLES

A. Historique

Inspirée d'**expériences étrangères**, cette formule a été adoptée en France dans les années 65-70 lorsque la croissance économique et démographique autorisait d'ambitieux projets d'aménagement du territoire et d'urbanisation.

En réaction contre les cités-dortoirs, il s'agissait d'intégrer dans la nouvelle agglomération les activités économiques et l'habitat et de créer *ex nihilo* des villes de **grande envergure** (l'objectif initial était de 500 000 habitants) à la périphérie d'une grande agglomération et dans un espace à l'origine rural.

Le choix de **9 villes nouvelles** fut décidé, 5 en région parisienne : Cergy- Pontoise, Saint-Quentin-en-Yvelines, Evry, Marne-la-Vallée, Melun-Sénart ; 4 en province : Villeneuve-d'Ascq près de Lille, Le Vaudreuil près de Rouen, l'Isle-d'Abeau près de Lyon, Fos-Étang de Berre près de Marseille. En 1987, le secteur IV de Marne-la-Vallée a été érigé en agglomération distincte.

B. Structures administratives

1. LA LOI BOSCHER DU 10 JUILLET 1970

Les études et les premiers aménagements furent confiés à des **missions** puis à des **établissements publics d'aménagement** (EPIC) marquant le caractère technocratique et centralisateur des opérations. La loi de 1970 mit au point les structures de coopération intercommunale chargées d'administrer les villes en gestation.

Les communes concernées avaient le choix entre trois formules : **communauté urbaine, ensemble urbain, syndicat communautaire d'aménagement** (SAN). C'est ce dernier système qui fut le plus utilisé. Deux agglomérations nouvelles ont perdu leur spécificité et rejoint le droit commun communal : Lille-Est (décret du 27 décembre 1983) et Le Vaudreuil (décret du 24 décembre 1987).

2. LA LOI ROCARD DU 13 JUILLET 1983

Elle prévoit une évolution « vers le droit commun de l'administration communale » mais maintient le particularisme initial et un régime encore fortement **centralisé**.

Les communes concernées, qui se voyaient offrir le choix entre plusieurs structures, ont écarté celle de la commune unique par fusion, ainsi que celle de la communauté urbaine pour préférer, comme par le passé, celle du **syndicat d'agglomération nouvelle (SAN)**, qui s'est substitué au syndicat communautaire urbain dont il est très proche.

C. Opérations d'aménagement

Elles requièrent des structures et des moyens spécifiques :

1. Quant aux **structures**, il a été créé au niveau national un « **Groupe central des villes nouvelles** », placé auprès du ministre chargé de l'Urbanisme qui émet des avis, fait des propositions et a en charge la coordination des opérations.

Au niveau local les EPIC sont responsables des opérations d'aménagement. Ils ont de très larges pouvoirs d'intervention foncière. Les collectivités locales disposent de la majorité des sièges au conseil d'administration mais l'État y est fortement représenté.

2. Quant aux **moyens**, les ressources sont **partagées** entre le SAN à qui revient la taxe professionnelle et qui bénéficie des subventions de l'État ou de la région et entre les communes à qui revient la taxe foncière et d'habitation ainsi que les dotations globales d'équipement et de fonctionnement.

Un groupement d'intérêt économique : « **Villes nouvelles de France** » permet davantage de souplesse dans les financements.

Lorsqu'une ZAC est située à l'intérieur du périmètre d'urbanisation, elle ne peut être créée que par le préfet. Les opérations d'aménagement à l'intérieur du périmètre d'urbanisation des villes nouvelles constituent des projets d'intérêt général.

3. Bilan

Il est jugé plutôt satisfaisant. Les agglomérations nouvelles ont accueilli plus de 40 % du flux démographique de la région d'Île-de-France et l'équilibre entre les activités économiques et l'habitat est honnête. Pour faciliter le retour au droit commun, la loi Chevènement du 12 juillet 1999 dispose qu'un décret fixera pour chaque ville nouvelle la date à laquelle les opérations seront considérées comme terminées. Dans les 6 mois, le SAN pourra être transformé en communauté d'agglomération si les conditions sont remplies.

➤ SECTION 3
Les projets d'intérêt général

Il s'agit d'un des systèmes les plus à même de **contrecarrer l'urbanisme décentralisé**. Des ouvrages d'intérêt collectif doivent pouvoir être réalisés en dépit de l'opposition des collectivités locales concernées. Créés par la loi du 7 janvier 1983, ils apparaissent comme l'indispensable **contre-poids** aux larges compétences transférées aux communes. En conséquence, les documents locaux d'urbanisme doivent être modifiés si nécessaire pour prendre en compte les PIG.

§1 CHAMP D'APPLICATION

Il est très large à la fois quant à l'objet des PIG et quant aux collectivités et organismes qui peuvent en être les initiateurs.

A. Objet (art. R. 121-3)

Il s'agit de « tout projet d'ouvrage, de travaux ou de protection présentant un caractère d'utilité publique… et destiné à la réalisation d'une opération d'aménagement ou d'équipement, au fonctionnement d'un service public, à l'accueil des populations défavorisées, à la protection du patrimoine naturel ou culturel, à la prévention des risques, à la mise en valeur des ressources naturelles ou à l'aménagement agricole et rural ».

Outre la réalisation d'équipement publics : routes, ponts, centrales électriques, lignes ferroviaires, bâtiments scolaires…, sont aussi concernées les opérations de remembrement rural, de boisement, de réhabilitation des quartiers anciens. Les travaux peuvent n'intéresser que l'entretien, la réparation ou le confortement.

L'existence d'un PIG est subordonnée à plusieurs conditions : un projet suffisamment élaboré, l'utilité publique du projet. Il peut même ne s'agir que d'une décision normative de protection (sans travaux) ; ainsi d'un arrêté préfectoral délimitant une zone inconstructible autour d'une réserve de produits chimiques : CE 3 février 1992, « *Commune de Soulon* ».

B. Auteurs

Il peut s'agir de projets de l'**État, d'une région, d'un département ou même d'une commune** (ou d'un groupement de communes) autre que celle responsable de l'élaboration du PLU du territoire concerné et, plus généralement, **de toute personne ayant la capacité d'exproprier.**

La qualification de PIG appartient exclusivement au préfet qui le porte à la connaissance des communes ou de leurs groupements.

§2 EFFETS

Les collectivités locales responsables de la mise en œuvre des SCOT et des PLU **doivent prendre en compte** les PIG dans l'élaboration de ces documents. À défaut ces derniers seraient déclarés illégaux.

Si le projet est décidé après l'approbation d'un SCOT ou d'un PLU et n'est pas compatible avec eux, le préfet peut demander leur **modification** ou mettre en demeure la commune de le faire.

Le législateur a voulu inciter les communes à préparer, par **anticipation**, les règles juridiques facilitant la réalisation des PIG : emplacement réservé dans un PLU par exemple.

Les PIG peuvent avoir une envergure exceptionnelle tel le projet « Eurodisney Land » (**décret du 24 mars 1987**) mais de nombreux projets d'utilité publique sont beaucoup plus modestes : établissement d'une ligne de distribution d'énergie électrique, déviation d'une route nationale, classement d'un site, projet de drainage ou d'irrigation, établissement d'une zone de protection autour d'une usine : CE 3 février 1992, « *Commune de Soulon* » (précité).

Pour vaincre la résistance de la ville de Paris à modifier son POS, le projet de construction du Centre des conférences internationales, dernier « grand chantier » du président F. Mitterrand fut déclaré PIG. Annulé par le TA de Paris le 28 juin 1992, ce projet fut estimé régulier par le Conseil d'État, quatre mois plus tard : CE 30 octobre 1992, « *Association de sauvegarde du site du Champs de Mars* ». Pour des raisons financières, le projet fut, peu après, abandonné.

La jurisprudence applique le contrôle du **bilan** pour apprécier l'utilité publique d'un PIG. Elle contrôle aussi **l'erreur manifeste d'appréciation** au regard de la loi du 10 juillet 1976 sur la protection de la nature : CE 4 juillet 1997, « *Les Verts Île-de-France* ».

> SECTION 4
Les schémas de mise en valeur de la mer

§1 ORIGINE

Ils ont succédé aux **schémas d'aptitude et d'utilisation** de la mer (SAUM) établis à partir de 1973 par les services de l'État dans certains sites du littoral afin de les valoriser. Trois seulement avaient été achevés : rade de Brest, Perthuis charentais, bassin d'Arcachon.

Les SMVM ont été légalisés par la **loi du 7 janvier 1983** (art. 57). Ils doivent être compatibles avec les dispositions de la loi littoral le juge exerçant un contrôle restreint et un contrôle de compatibilité avec les orientations de la loi : CE 7 juillet 1997, « *Madaule* ».

§2 OBJET

Afin de fixer les « orientations fondamentales de la protection, de l'exploitation et de l'aménagement du littoral », ils devront déterminer « la vocation des secteurs de l'espace maritime et les principes de compatibilité applicables aux usages correspondants ainsi que les conséquences qui en résultent pour l'utilisation des divers secteurs de l'espace terrestre qui sont liés à l'espace maritime ».

Proche des schémas directeurs avec lesquels une superposition partielle est possible, ils s'en distinguent cependant par **une prise en compte globale de l'utilisation de l'espace terrestre et maritime** du littoral, par leur procédure de création restée centralisée et par des effets juridiques supérieurs.

§3 CRÉATION

Les SMVM sont instruits et élaborés sous l'autorité des préfets (préfet du département et préfet maritime).

Ils sont approuvés par décret en Conseil d'État. Ils ne sont soumis que pour avis aux communes, départements et régions dont les représentants ont cependant fait partie du groupe du travail chargé autour du préfet, de l'élaboration du schéma.

§4 Effets

Ils **s'imposent** aux documents locaux d'urbanisme, notamment les SCOT et les PLU qui doivent être compatibles avec leurs dispositions.

Seul, pour l'instant, le SMVM du bassin de Thau et sa façade maritime a fait l'objet d'une approbation (D. 20 avril 1995). Sa légalité a été reconnue : CE 7 juillet 1997, « *Madaule* », précité, la valeur de document d'urbanisme du SMVM étant consacrée.

> Section 5

Les directives territoriales d'aménagement

Ces nouveaux documents, préconisés par le rapport du Conseil d'État de 1992, font leur apparition dans la loi **d'orientation pour l'aménagement et le développement du territoire du 4 février 1995** (art. 4 et 5) modifiée par la loi du 25 juin 1999 et sont codifiés à l'article L. 111-1-1 C. urb.

§1 Élaboration

Leur **élaboration**, est menée sous la responsabilité de l'État, à son initiative ou le cas échéant, à la demande d'une région. Elle doit être conduite en **association avec les régions, les départements et les communes** de plus de 2000 habitants. Les projets sont mis à la disposition du public. L'approbation est donnée par **décret en Conseil d'État**.

§2 Contenu

Il est double. En premier lieu, les DTA ont pour objectif de préciser les **orientations fondamentales** de l'État en matière d'aménagement du territoire et de localisation des grandes infrastructures de transport. De surcroît, elles peuvent **préciser les modalités d'application des lois littoral et montagne** prenant le relais des prescriptions particulières prévues par les LAU et qui n'ont jamais vu le jour.

Réservées à des territoires, au périmètre spécifique, présentant des difficultés et enjeux importants, elles seront des outils de cohérence spatiale et de mise en perspective.

§3 Effets juridiques

Les DTA sont soumises à l'ensemble des règles nationales, notamment les lois d'urbanisme et le schéma national d'aménagement du territoire.

Les SCOT et les schémas de secteurs doivent être compatibles avec leurs orientations. Quant aux PLU ce n'est qu'en l'absence de SCOT qu'ils doivent être compatibles avec les DTA.

Dans un souci de simplicité, en effet, chaque norme d'urbanisme n'est soumise à une obligation de compatibilité qu'avec la norme immédiatement supérieure. Cette simplification reste relative et le Conseil constitutionnel a précisé que « la règle de compatibilité avec la norme de niveau immédiatement supérieur ne vaut que dans la mesure où cette norme traite des matières régies par la norme située au-dessus d'elle » et que tout intéressé peut toujours faire prévaloir, au besoin par l'exception d'illégalité, des dispositions législatives sur des documents de valeur réglementaires, confirmant ainsi l'applicabilité directe des lois littoral et montagne.

Par ailleurs, ce bel agencement suppose que les différents niveaux disposent de documents applicables. Or il n'est pas certain que les SCOT puissent être élaborés rapidement. Quant aux DTA, si cinq ont été prévues : aire de Marseille, Alpes maritimes, Alpes du Nord, estuaires de la Seine et de la Loire, aucune n'a encore été approuvée.

TITRE II

La planification locale décentralisée

Schémas directeurs et POS constituaient depuis 1967 **le droit commun** de la planification urbaine, décentralisée en 1983. La **loi SRU** modifie très sensiblement leur régime et leur qualification (chapitre I). Elle ne change pas les autres règles et documents décentralisés applicables à certains espaces particuliers dans le but de favoriser soit l'aménagement, soit l'environnement culturel et naturel (chapitre II).

> CHAPITRE I

LE DROIT COMMUN DE LA PLANIFICATION LOCALE

La loi du 13 décembre 2000 reprend la distinction majeure, établie dès la LOF du 30 décembre 1967, entre deux séries de documents :

– **des documents à caractère prospectif** désormais qualifiés **schémas de cohérence territoriale (SCOT)** fixant les orientations fondamentales de l'aménagement d'un ensemble de communes ainsi que les perspectives idéales à long et moyen terme de leur développement ;

– **des documents de nature réglementaire : les plans locaux d'urbanisme (PLU)**, compatibles avec les orientations des SCOT, fixant des règles et des servitudes directement applicables aux particuliers.

Les premiers ont une fonction de prévision. Les seconds ont, en outre, une fonction de réglementation.

> SECTION 1

Les schémas de cohérence territoriale (SCOT)

La loi du 7 janvier 1983 avait d'une part **décentralisé** la procédure d'élaboration des schémas, d'autre part **élargi leur champ d'application**, leur donnant vocation à être établis sur **l'ensemble du territoire**, y compris en zone rurale.

La liberté laissée aux communes, les difficultés de leur coopération, la lourdeur de la procédure d'élaboration, expliquent l'échec relatif des SD trop peu nombreux et vite frappés d'obsolescence.

470 schémas ont été délimités et moins de 200 approuvés, faible progression depuis 1983 où déjà 176 schémas étaient approuvés. Dans le même temps le nombre des POS avait quasiment doublé. Près de 1/3 des SD étaient en cours de modification. La loi SRU modifie profondément le régime des nouveaux schémas. Elle enrichit leur contenu, contient de fortes incitations à leur création et change la procédure d'élaboration. À la différence des anciens SD, les SCOT sont conçus non seulement comme des instruments de maîtrise foncière mais aussi comme des *documents fédérateurs des politiques publiques* en matière d'habitat, logement, transports, commerce et environnement. Comme pour les PLU une démarche de « projet » est suivie.

§1 CONTENU (art. L. 122-1)

La loi SRU donne une ampleur nouvelle au contenu des nombreux schémas.

• *Diagnostic.* Les SCOT établissent un **diagnostic** au regard des prévision et des besoins.

• *PADD.* Ils présentent un **projet d'aménagement et de développement durable** qui détermine les **orientations générales** de l'organisation de l'espace et de la restructuration des zones urbaines dans le respect des principes d'équilibre de l'article L. 110 et L. 121-1. Ils fixent les **objectifs** en matière d'habitat, de développement économique, de desserte en transports collectifs, d'équipement commercial et artisanal, de protection des paysages, de mise en valeur des entrées de ville, de prévention des risques. Ils déterminent les espaces et sites naturels ou urbains à protéger. À la différence du PLU, le PADD du SCOT est intégré dans le rapport de présentation. En conséquence, il n'a pas de valeur prescriptive et n'est pas directement opposable aux autorisations de construire.

• De nouvelles finalités apparaissent : celle de la **mixité de l'habitat** destinée à combattre les excès de la spécialisation fonctionnelle de l'usage des sols et celle du **renouvellement urbain**, encourageant la reconstruction de la ville sur elle-même et limitant les extensions périphériques et le gaspillage des sols.

Comme par le passé, ils peuvent être complétés par des **schémas de secteur**, soumis au même régime, qui détaillent et précisent leur contenu.

• Formellement, ils se composent d'un **rapport** comportant une analyse de la situation existante et des perspectives d'évolution, le parti d'aménagement retenu ainsi que les principales phases de réalisation d'un *document d'orientation* récapitulant les orientations générales opposables et des **documents graphiques** où sont notamment représentés la destination générale des sols, les sites à protéger, la localisation des principales activités et des équipements publics. Il n'y a pas de **règlement** eu égard au caractère d'orientation prospective de ces documents.

Une mesure d'incitation – mais non de contrainte – est prévue pour pousser les communes à se regrouper et à se doter d'un SCOT. Selon l'article **L. 122-2**, dans les communes situées à moins de 15 km de la périphérie d'une agglomération de plus de 50 000 habitants ou à moins de 15 km de la mer, le PLU ne peut être modifié ou révisé en vue d'ouvrir à l'urbanisation une zone à urbaniser ou une zone naturelle. Des dérogations sont possibles.

§2 ÉLABORATION ET RÉVISION

La loi du 7 janvier 1983 avait, profondément innové en décentralisant, comme pour les POS, la procédure. Alors qu'auparavant la décision appartenait en dernier ressort aux autorités étatiques, en dépit d'une qualification en trompe l'œil d'« élaboration conjointe », depuis 1983 c'est l'État qui est devenu un simple associé, l'initiative et la décision revenant aux **communes** regroupées dans un établissement public de coopération intercommunale (**EPCI**). La loi SRU ne modifie pas ce processus mais, tout en développant la concertation, elle cherche à alléger les procédures.

A. Initiative et mise à l'étude

Le SCOT est élaboré à l'initiative des communes ou de leurs groupements qui définissent le périmètre du schéma et le proposent au préfet. Celui-ci a, semble- t-il, compétence liée face à des délibérations convergentes des communes. Le SCOT délimite un territoire **d'un seul tenant** et sans enclave. Les territoires des groupements de communes de la loi Chevènement seront intégralement inclus mais le périmètre pourra s'étendre au-delà pour englober des espaces périurbains et ruraux concernés par l'évolution de l'agglomération. C'est un exercice difficile et un enjeu essentiel de la mise en application rapide de la loi.

Le SCOT est élaboré par un EPCI existant ou créé à cet effet qui aura pour fonction d'assurer le suivi et la révision du schéma. La **pérennité de l'EPCI est la condition de celle du SCOT**. La dissolution de l'EPCI emporterait l'abrogation du schéma. L'EPCI fait corps avec le schéma.

Les services de l'État sont associés à l'élaboration du projet de schéma (art. L. 122-6) mais seulement s'ils le souhaitent et selon des modalités librement déterminées, démarche souple et volontariste qui s'applique aussi à la participation des autres personnes éventuellement associées.

B. Concertation et enquête publique (art. L. 122-8 et L. 122-10)

La « **concertation** » de l'article L. 300-2 doit obligatoirement être organisée, dont les modalités sont arrêtées par l'EPCI.

Le projet, auquel sont annexés les avis, est soumis à **enquête publique** par le président de l'EPCI. La loi prévoit, de surcroît, 4 mois au moins avant l'approbation, un **débat** au sein de l'organe délibérant de l'EPCI.

C. Approbation (art. L. 122-11)

À l'issue de l'enquête publique le schéma éventuellement modifié est **approuvé** par l'organe délibérant de l'EPCI. Il est transmis au préfet et aux autorités qui ont été consultées et il est tenu à la disposition du public.

La décision d'approbation devient exécutoire deux mois après la transmission au préfet lequel, dans ce délai, peut notifier au président de l'EPCI les modifications qu'il estime nécessaires lorsque les dispositions du schéma sont incompatibles avec les normes nationales.

D. Droit de retrait (art. L. 122-9 et L. 122-12)

Une commune ou un groupement de communes membre de l'EPCI peuvent faire savoir qu'elles estiment que le SCOT est « de nature à **compromettre l'un de leurs intérêts essentiels** en leur imposant notamment des nuisances ou des contraintes excessives ». Si la commune ou le groupement n'ont pas obtenu les modifications demandées, malgré un avis favorable du préfet, ils peuvent, dans un délai de deux mois, décider de se retirer. Le préfet constate ce retrait.

Ces dispositions ne sont pas applicables si l'EPCI est une communauté urbaine, d'agglomération ou de commune.

E. Révision (art. L. 122-13 et L. 122-15)

Elle emprunte la même **démarche décentralisée** simplifiée que l'élaboration associée. Pour éviter la sclérose des schémas, l'article L. 122-14 prévoit que l'EPCI doit, au plus tard dans les dix ans de l'approbation du schéma, délibérer sur son maintien en vigueur ou sa révision. À défaut, le schéma serait caduc. Cette validation périodique (tous les 10 ans) encourage l'analyse des résultats et le débat sur de nouveaux projets. Le SCOT peut aussi faire l'objet d'une **modification** s'il y a pas atteinte à l'économi générale du PADD.

§3 EFFETS

A. Opposabilité aux documents et opérations d'urbanisme : la compatibilité

• **Doivent être compatibles avec le SCOT** s'agissant des documents d'urbanisme : les PLU, les programmes locaux de l'habitat (PLH), les plans de déplacements urbains, (PDU) les plans de sauvegarde et de mise en valeur (PSVM), les cartes communales, les schémas de développement commercial, les programmes locaux de l'habitat. S'agissant des opérations d'urbanisme : les ZAC, les lotissements, les opérations foncières (ZAD, réserves foncières de plus de 5 hectares), les autorisations d'exploitation commerciale.

Si l'un de ces documents contient des dispositions qui ne sont pas compatibles avec le SCOT ils ne pourront être approuvés que si l'EPCI a préalablement révisé le schéma (art. L. 122-16), mécanisme curieux, qui a quelques précédents mais reste exceptionnel, consistant à modifier un document hiérarchiquement supérieur pour le rendre compatible avec un document de rang inférieur.

Plus souple que l'obligation de conformité celle de **compatibilité** sous- entend l'absence de contrariété avec les options fondamentales retenues par le schéma. L'harmonie et la cohérence entre les grandes options communales, intercommunales, supracommunales est ainsi recherchée.

• Le juge exerce un **contrôle restreint**, peu à peu renforcé, du respect de cette obligation.

S'il a pu paraître peu enclin à la sévérité en refusant d'annuler des déclarations d'utilité publique concernant des opérations non prévues au schéma ou s'en éloignant assez nettement : cf. CE 22 février 1974, « *Sieur Adam* », tracé d'autoroute en Alsace différant de plusieurs kilomètres du tracé prévu au SDAU, il n'hésita pas à annuler des POS partiellement incompatibles avec les dispositions d'un SD : première annulation, CE 17 décembre 1982, « *Chambre d'agriculture de l'Indre* », création d'une zone artisanale et industrielle par le POS d'une commune de l'agglomération de Châteauroux alors que les orientations du schéma directeur prévoyaient dans cet espace des zones rurales à habitat dispersé. Pour d'autres exemples d'annulation : cf. CE 11 février 1991, « *SA HLM Artois logement* », POS ne respectant pas un espace vert-parc urbain prévu au SDAU ; CE 30 janvier 1991, « *Commune de Portets* », POS, méconnaissant la protection des zones viticoles inscrite dans le SD de l'agglomération bordelaise, CE 7 décembre 1990, « *Commune de Lege-Cap-Ferret* », classement en zone NA de 160 hectares de terrains boisés classés par le SD en site naturel et CE 23 octobre 1992, « *Commune de Poligny* », création d'un golf dans un espace boisé protégé par le SDRIF.

Dans un jugement remarqué, le TA de Lille annule un schéma directeur pour non-respect du principe de précaution énoncé à l'article L. 200-1 du Code rural (TA Lille 19 avril 2000) « *Fédération Nord Nature* ».

B. Non-opposabilité directe aux autorisations d'occupation du sol

L'arrêt « *Domat* » de 1977 avait, mettant fin à des controverses, décidé que le **permis de construire** « n'est pas au nombre des décisions administratives dont la légalité doit s'apprécier par référence aux dispositions des SDAU » lesquelles ne sont donc pas directement opposables aux demandes d'autorisation du sol.

Cette jurisprudence n'a pas été démentie par la suite mais la loi SRU rend le SCOT opposable aux opérations ou constructions portant sur une SHON de plus de 5 000 m².

> ## Section 2

Les plans locaux d'urbanisme (PLU)

Institués par la LOF de 1967, les POS avaient succédé aux anciens plans d'urbanisme avec une efficacité technique et juridique supérieure.

Documents de synthèse, ils sont devenus les principaux instruments locaux de la planification urbaine.

La loi SRU les qualifie désormais de **plans locaux d'urbanisme** (PLU) et modifie leur régime en enrichissant leur contenu et assouplissant leur procédure.

À la différence des POS qui pouvaient être partiels les PLU doivent couvrir l'intégralité du territoire d'une ou de plusieurs communes. La possibilité de POS simplifiés, qui pouvait convenir aux communes rurales, a été supprimée par la loi SRU qui préfère encourager la promotion des cartes communales. En cas d'annulation partielle par voie juridictionnelle d'un PLU, l'autorité compétente élabore sans délai les nouvelles dispositions applicables à la partie du territoire concerné par l'annulation (art. L. 123-1 3). Des PLU intercommunaux sont possibles.

Depuis la loi du 7 janvier 1983, la procédure d'élaboration des POS ayant été décentralisée, les communes ont la maîtrise du contenu et de l'application de ce document.

Les POS s'étaient multipliés et banalisés. Près de 16 000 étaient en vigueur en 2000, concernant plus des 4/5 de la population mais ne couvrant guère plus de la moitié du territoire. 20 000 communes, surtout rurales, n'avaient pas de POS et pourraient préférer, désormais, se doter d'une carte communale.

La loi SRU transforme et enrichit le contenu des POS auxquels il était reproché de se limiter à une police de l'occupation des sols, de pouvoir être partiels et de laisser échapper les espaces couverts par des ZAC dotées d'un PAZ. Plus dynamiques, les PLU sont l'expression d'un véritable « projet global urbain » couvrant l'ensemble du territoire communal. La logique de « projet » remplace la logique de réglementation et de « guichet ». Leur procédure d'élaboration et de révision est simplifiée.

§1 Contenu

Il n'est pas uniforme. L'article L. 123-1 distingue entre des **dispositions obligatoires**, contenu minimal, et des dispositions seulement **facultatives**. Les premières concernent un diagnostic des prévisions et des besoins, la présentation d'un projet d'aménagement et de développement durable et les « **règles générales et les servitudes d'utilisation des sols permettant d'atteindre les objectifs mentionnés à l'article L. 121-1** qui peuvent notamment comporter **l'interdiction de construire. À ce titre ils délimitent des zones urbaines ou à urbaniser des zones naturelles ou agricoles et forestières à protéger.** » Doivent aussi être obligatoirement fixées, en fonction des circonstances locales, les règles concernant l'implantation des constructions.

D'autres dispositions peuvent figurer dans le PLU si la commune le souhaite : affectation des sols selon les usages et les activités ; règles concernant l'aspect extérieur des constructions et l'aménagement de leurs abords ; délimitation de zones où la reconstruction de bâtiments existants pourrait être imposée ; fixation d'emplacements réservés ; identification d'éléments de paysage, sites et monuments à préserver ; fixation d'un COS…

Quel que soit son contenu, le POS se présente sous la forme d'un **dossier** comprenant : un rapport de présentation, un projet d'aménagement et de développement durable (la grande nouveauté des PLU) des documents graphiques, un règlement et des annexes.

A. Dossier du PLU (art. R. 123-2)

1. LE RAPPORT DE PRÉSENTATION

Sorte d'**exposé des motifs**, il fait à partir de l'analyse de la situation existante un diagnostic sur les choix retenus pour établir le PADD. Il doit justifier de la compatibilité du PLU avec les diverses normes supracommunales, formalités considérées comme **substantielles**. Il a pour objet de faciliter l'interprétation des dispositions du PADD et du règlement. L'absence ou l'insuffisance des éléments qu'il doit contenir peut entraîner l'annulation du PLU, comme c'était le cas pour le POS : **CE 22 novembre 1985**, « *Daniau* ».

Le rapport doit analyser l'état initial de l'environnement, les incidences de la mise en œuvre du PLU et les mesures protectrices prévues. Le diagnostic procède la justification des choix retenus.

L'« **étude d'environnement** », qui figure dans le rapport de présentation, tient lieu d'étude d'impact et il est nécessaire qu'elle soit réalisée avec soin.

Le rapport de présentation n'entraîne pas en lui-même d'effets juridiques, les servitudes ne peuvent être édictées que par le règlement. Néanmoins, la rigueur de la jurisprudence à l'égard de ses insuffisances devrait conduire les auteurs des PLU à soigner vigilamment sa rédaction.

2. LE PROJET D'AMÉNAGEMENT ET DE DÉVELOPPEMENT DURABLE (PADD)
(art. R. 123-3)

C'est une des innovations les plus remarquables de la loi SRU. Le PADD est la « clé de voûte » du PLU. Il exprime le « *projet* », les « *enjeux* » du territoire concerné. Il est distinct du règlement dont la lecture se fait à partir des orientations du PADD, des recoupements sont cependant inévitables ainsi qu'avec le rapport de présentation.

Son contenu est variable. Outre la définition obligatoire des **orientations générales** d'aménagement et d'urbanisme retenues pour l'ensemble de la commune. Les PADD peuvent comporter des **orientations d'aménagement** relatives à des quartiers ou des secteurs à mettre en valeur, réhabiliter, restructurer ou aménager. Ces orientations peuvent, en cohérence avec les orientations générales, prévoir les actions et opérations d'aménagement à mettre en œuvre, notamment pour mettre en valeur l'environnement, les paysages, les entrées de villes et le patrimoine, lutter contre l'insalubrité, permettre le renouvellement urbain et assurer le développement de la commune. Elles peuvent prendre la forme de schémas d'aménagement et préciser les principales caractéristiques des voies et des espaces publics.

À la différence des orientations générales, les orientations d'aménagement sont **opposables,** dans un rapport de comptabilité ; aux travaux et constructions envisagés par les personnes publiques et privées (art. L. 123-5).

3. LE RÈGLEMENT ET SES DOCUMENTS GRAPHIQUES (art. R. 123-4)

Le règlement comprend des documents graphiques et un document écrit.

a) Les documents graphiques et le zonage

Il s'agit de **cartes** et **tableaux** ayant pour fonction de localiser les divers secteurs et emplacements où s'appliquent les règles du PLU. Ils fixent en particulier des zones affectées à des usages différents et dont le découpage l'emporte, au besoin, sur le parcellaire foncier : un propriétaire peut voir son terrain découpé en plusieurs zones.

• Les zones urbaines, dites « zones U ».

Il s'agit des espaces où « les capacités des équipements publics existants ou en cours de réalisation permettent d'admettre immédiatement des constructions ». Dans ces zones, le PLU peut instituer des servitudes consistant à réserver des emplacements en vue de la réalisation de programmes définis de logements, indiquer la localisation prévue des voies, ouvrages publics et espaces verts. Il peut aussi interdire, dans les zones prioritaires de projet, les constructions dépassant un certain seuil pendant une durée de 5 ans (art. L. 123-2, a). Le maire sera alors tenu de refuser le permis de construire.

En principe, le permis de construire ne peut être refusé pour défaut ou absence d'équipements publics encore que la jurisprudence exige parfois quelques garanties supplémentaires.

Les zones urbaines sont souvent différenciées en fonction de leur éloignement **par rapport au centre historique** de la ville, désigné par la qualification **UA**. La zone **UB** couvre l'espace d'habitat dense qui l'avoisine, la zone **UC** concerne des terrains de plus faible densité d'habitat, la zone **UG** des constructions individuelles, la zone **UR** des bâtiments en rénovation, la zone **UF** l'emprise ferroviaire.

• Les zones à urbaniser, dites « zones AU ».

Ce sont les anciennes zones **d'urbanisation future** dites zones NA. Équipées ou non, elles sont destinées à être progressivement urbanisées soit à l'occasion de la modification du PLU ou de la création d'une ZAC soit, formule plus souple, à l'occasion de la réalisation d'opérations « compatibles avec un aménagement cohérent de la zone tel qu'il est défini par le règlement ».

Les maîtres d'ouvrages et les aménageurs ont un champ d'intervention privilégié en zone AU, sorte de réserve foncière destinée à une constructibilité conditionnelle mais pas à l'inconstructibilité comme les zones naturelles. La jurisprudence contrôle la légalité du classement AU et sanctionne les erreurs manifestes d'appréciation en examinant la situation du terrain et des équipements, ainsi que le parti d'urbanisme justifié dans le rapport de présentation et le PADD. On rappellera que la loi SRU interdit d'ouvrir à l'urbanisation les zones AU si un SCOT n'est pas intervenu (cf. *supra*).

• Les zones agricoles dites « zones A » qui doivent être protégés en raison du potentiel agronomique, biologique ou économique, des terres.

Seules peuvent être autorisées les constructions nécessaires aux SP et à l'exploitation agricole.

• Les zones naturelles et forestières dites « zones N » doivent faire l'objet d'une **protection spéciale** en raison de la qualité de leurs paysages et de leurs écosystèmes. Le PLU pourra déterminer les conditions des transferts de constructibilité en vue de favoriser un regroupement des constructions (cf. *infra* COS).

b) Le règlement (art. R. 123-9)

Élément essentiel du dossier, il « fixe les règles applicables aux terrains compris dans les diverses zones du territoire couvert par le plan ».

Comme les documents graphiques, il est plus ou moins sophistiqué. Son contenu peut n'être que **sommaire** et n'accueillir qu'un minimum obligatoire : règles concernant l'affectation dominante des sols, l'implantation des constructions, leur destination et leur nature. Il peut être **détaillé**, variable et accueillir facultativement des prescriptions relatives à l'aspect extérieur des constructions, à la desserte, à l'accès, à la voirie, aux équipements publics, au COS. La loi SRU accentue le nombre des opérations facultatives.

Le règlement ne peut fixer que des règles de fond à l'exclusion des règles de forme et de procédure qui sont prévues par le code et sont d'application générale. Il lui est aussi interdit d'établir, au-delà des servitudes relatives à l'utilisation des sols des limitations à la libre disposition de leur bien par les propriétaires.

4. LES ANNEXES

Plusieurs séries d'**annexes** sont énumérées à l'article R. 123-14 : liste des emplacements réservés, des opérations déclarées d'utilité publique, des **servitudes d'utilité publique**, des lotissements, éléments relatifs aux réseaux d'eau et d'assainissement, prescriptions nationales, plans d'exposition au bruit des aérodromes. Une lacune dans le contenu des annexes entraîne l'annulation de la délibération d'approbation : CE 29 novembre 1993, « *Commune d'Annecy-le-Vieux* ». Les annexes ont un caractère informatif permettant la connaissance de l'ensemble des contraintes administratives applicables sur le territoire couvert par le PLU.

Elles doivent aussi comporter les avis des personnes publiques consultées et les observations des associations agréées.

B. Le coefficient d'occupation des sols : COS

Le règlement du PLU définit diverses règles relatives soit à la nature de l'occupation du sol soit à la densité des constructions admises dans les différentes zones et secteurs. Il s'agit du coefficient d'occupation des sols : **COS**.

1. DÉFINITION

Facultatifs, le ou les COS déterminent, en fonction notamment de la capacité des équipements et de la nature des constructions à effectuer, la **densité de construction** admise dans chaque zone ou partie de zone.

L'article R. 123-10 le définit ainsi : c'est « **le rapport exprimant le nombre de mètres carrés de plancher hors œuvre nette ou le nombre de mètres cubes susceptibles d'être construits par mètre carré de sol** ». La multiplication du COS par la superficie du terrain donne la surface maximum de plancher susceptible d'être construite.

Exemple :
- Superficie du terrain : 1 000 m²
- COS : 0,5
- Surface de plancher hors œuvre constructible : 500 m².

La **surface hors œuvre constructible nette** (SHON) est égale à la surface brute après déduction des combles et sous-sols non aménageables, des balcons, surfaces non closes, espaces de stationnement. Si le terrain est déjà construit, la surface des bâtiments existants est prise en compte pour le calcul de densité.

Les COS peuvent être soit **uniques**, soit **alternatifs**, soit **différenciés** selon la destination des constructions (habitat, bureaux, commerces...).

2. TRANSFERT (art. L. 123-4)

Le COS fixe en principe la limite maximale de la SHON constructible, mais il était prévu auparavant que cette limite puisse être dépassée sous certaines conditions, et moyennant le plus souvent contrepartie financière. Le dépassement ainsi que le transfert « privé » de COS ont été supprimés. Ne subsistent plus qu'un **transfert** « **public** » dans les zones à protéger en raison de la qualité de leurs paysages.

Dans ces zones, le PLU détermine les conditions de transfert du COS fixé par l'ensemble de la zone « en vue de favoriser un regroupement des constructions sur d'autres terrains situés dans certains secteurs de la zone ».

En cas de transfert, la totalité du terrain dont les constructions sont transférées est frappée de plein droit d'interdiction de construire (art. L. 123-4).

Ce transfert qui intervient en vue de favoriser le regroupement des constructions et de protéger la qualité des paysages est un transfert « **public** ».

La loi SRU a supprimé l'ancienne possibilité des transferts privés ainsi que les « dépassements de COS » moyennant le versement d'une « participation pour surdensité ». Elle supprime aussi le plafond légal de densité (PLD), assorti d'un versement pour dépassement, système dont les résultats – à l'exception de Paris – restaient faibles.

Le PLU peut prévoir que si une partie a été détachée depuis moins de dix ans d'un terrain dont les droits à construire résultant de l'application du COS ont été utilisés partiellement ou en totalité, il ne peut plus être construit que dans la limite des droits qui n'ont pas été utilisés.

§2 ELABORATION (art. L. 123-6 et s.)

Avant les lois de décentralisation, l'élaboration dite « **conjointe** » ou « **négociée** » laissait la maîtrise technique de l'instruction aux experts et aux services déconcentrés, DDE en particulier, et la maîtrise des orientations et des arbitrages politiques au représentant de l'État, le préfet, qui avait compétence pour prendre l'initiative de prescrire un POS, celle de le rendre public et de l'approuver.

Cette maîtrise appartient désormais aux communes. L'article L. 123-6 dispose que le PLU est **élaboré** « **à l'initiative et sous la responsabilité de la commune** ». Si les autorités et les services de l'État sont appelés à intervenir fréquemment les décisions de prescription et d'approbation leur échappent.

Dans les faits, l'association des représentants de l'État à l'élaboration des PLU est encouragée lorsque les communes sollicitent l'assistance des services de l'État (DDE) dans le cadre d'une convention de mise à disposition, ce qu'elles font souvent.

La procédure d'élaboration permet de distinguer quatre étapes. Une des réformes importante de la loi SRU est d'avoir supprimé la phase de la publication.

A. Prescription et instruction

1. PRESCRIPTION

L'établissement du PLU est prescrit par une **délibération du conseil municipal** ou de l'organe délibérant de l'EPCI. La délibération est notifiée aux représentants des diverses collectivités publiques intéressées.

L'association **des services de l'État, selon des règles tatillonnes** qui alourdissaient l'ancienne procédure, est simplifiée. Il est simplement prévu qu'« à **l'initiative du maire** ou à la **demande du préfet**, les **services de l'État sont associés à l'élaboration du projet** » (art L. 123-7). Il n'y a donc pas d'obligation à cette association.

2. INSTRUCTION

Pour l'**établissement du projet**, la commune peut avoir recours à une agence d'urbanisme s'il en existe, à des bureaux d'études publics ou privés ou aux services extérieurs de l'État (DDE) qui peuvent être mis gratuitement à sa disposition, à la demande du maire et sous son autorité, formule fréquemment retenue. Le coût de l'établissement du projet qui varie selon les prestataires est un handicap pour les petites communes qui se plaignent de l'insuffisance de la dotation de l'État.

Le **groupe de travail** chargé de l'élaboration du projet de plan doit procéder à diverses **consultations** à condition que la demande en soit faite : consultation des présidents, des conseils régionaux, généraux, EPCI voisins, maires des communes voisines, présidents des organismes consulaires et de transport.

De surcroît : « le maire peut recueillir l'avis de tout organisme ou association compétents en matière d'aménagement du territoire, d'urbanisme, d'environnement, d'architecture, d'habitat et de déplacements »

Ces **consultations** ne sauraient être confondues avec l'**association à l'élaboration** du projet. Les POS de La Baule et de Fontainebleau, par exemple, furent annulés pour des excès de zèle municipal, un président d'association agréée de défense de l'environnement ayant été associé de manière trop permanente au groupe de travail, CE 5 janvier 1979, « *Association pour la protection du site de La Baule-Escoublac* ».

B. Adoption du projet de POS « arrêté » (art. L. 123-9)

Comme pour le SCOT, l'organisation de la **concertation** de l'article L. 300-2 est une obligation pendant toute la durée d'élaboration du plan, comme l'est l'organisation d'un **débat** au sein du conseil municipal sur les orientations générales du projet, 2 mois au moins avant son examen. Concertation et débat ayant eu lieu, le **conseil municipal arrête** le projet de PLU.

Les différentes **personnes publiques associées** à l'élaboration ainsi que, sur leur demande, les communes limitrophes et les EPCI directement intéressés font connaître leur avis dans un délai de 3 mois. À défaut, les avis sont réputés favorables.

C. Enquête publique (art. L. 123-10)

Le projet de PLU est soumis à **enquête publique** par le maire, enquête qui se déroule selon les règles fixées par **la loi du 12 juillet 1983** relative à la démocratisation des enquêtes publiques et à la protection de l'environnement.

Le **commissaire-enquêteur**, désigné par le président du tribunal administratif conduit l'enquête « de manière à permettre au public de prendre une connaissance complète du projet et de présenter ses appréciations, suggestions et contre-propositions ». Son rapport comprend, outre le résumé des observations du public, des conclusions motivées favorables ou défavorables, rapport transmis au maire et tenu à la disposition du public.

Le respect des règles de forme et de procédure est strictement **contrôlé par le juge**. Le Conseil d'État avait annulé l'acte d'approbation d'un POS du fait d'une enquête antérieure à l'accomplissement des mesures de publicité propre à rendre le POS public : CE 26 janvier 1979, « *Époux Lorans* ». De même se montre-t-il exigeant quant à l'impartialité du commissaire- enquêteur : irrégularité d'une procédure diligentée par un commissaire- enquêteur trop directement intéressé à l'instruction du POS : CE 4 janvier 1995, « *Ville de Narbonne* ».

D. Approbation

Le PLU peut être **éventuellement modifié** pour tenir compte des résultats de l'enquête.

La jurisprudence considère qu'une nouvelle enquête publique est nécessaire lorsque ces modifications remettent en cause « **l'économie générale du plan** » : CE 1er juin 1984, « *Ass. de défense des propriétaires de Saint-Gervais* » et CE 4 janvier 1995, « *Ville de Narbonne* », précité.

L'approbation du PLU intervient par **délibération du conseil municipal**. Le plan approuvé est tenu à la disposition du public ; un refus de communication autoriserait à saisir la commission d'accès aux documents administratifs (CADA).

Le PLU devient **exécutoire** un mois suivant sa transmission au préfet. Dans ce délai, le représentant de l'État peut notifier à la commune les **modifications** qu'il estime nécessaires si les dispositions du plan compromettent gravement les principes énoncés aux articles L. 110 et L. 121-1, sont incompatibles avec les DTA, sont de nature à compromettre leur réalisation ainsi que celle d'un SCOT, ou font apparaître des incompatibilités manifestes avec l'utilisation ou l'affectation des sols des terres voisines.

Le PLU devient exécutoire dès la publication et la transmission au préfet de la délibération approuvant les modifications exigées.

§3 EFFETS

L'approbation des PLU a des incidences directes sur le régime des autorisations de construire. L'entrée en vigueur du PLU et de la carte communale entraîne la **municipalisation de ces autorisations** lesquelles sont délivrées par le **maire, au nom de la commune** et non plus au nom de l'État.

Innovation majeure, ce transfert de compétence qui entraîne un **transfert de responsabilité** à la charge de la commune, est **définitif**. En approuvant son plan la commune acquiert d'office, sans pouvoir y renoncer, la compétence d'instruction et de délivrance de ces autorisations transférée définitivement à son maire, même si le PLU vient à être annulé par la suite (**art. L. 421-2-1**).

Plus généralement, les PLU engendrent des effets qui varient selon les étapes de la procédure d'élaboration et se manifestent, avant même que le contenu du plan soit définitivement arrêté.

A. Effets de la prescription

La possibilité d'une application anticipée du POS ayant été supprimé, le principal effet reste le **sursis à statuer**.

Mesure de sauvegarde traditionnelle, le sursis à statuer permet de suspendre provisoirement la réalisation de travaux susceptibles de compromettre l'exécution d'un POS prescrit ou mis en révision.

L'autorité administrative **peut** décider de **surseoir à statuer** sur les demandes d'autorisation concernant des constructions, installations ou opérations « qui seraient de nature à compromettre ou à rendre plus onéreuse l'exécution du futur plan » (art. L. 123-6). La jurisprudence exige que l'état de ce plan futur soit **suffisamment avancé**.

Le délai de **validité** du sursis est de **deux ans**, sous réserve d'une prorogation maximum d'un an. À l'expiration de ce délai, une décision doit être prise, sur simple confirmation par l'intéressé de sa demande d'autorisation.

B. Effets de l'approbation

Elle donne un **caractère définitif** à l'opposabilité des PLU.

L'effet principal depuis 1983 est le **transfert aux communes des compétences** relatives à l'utilisation du sol. Ce transfert est définitif quel que soit le sort du PLU.

C. Adaptations mineures (art. L. 123-1)

L'administration disposait, à l'origine, de la possibilité d'accorder des dérogations aux règles imposées par les POS mais les excès de cet urbanisme dérogatoire, même tempérés par la jurisprudence, cf. CE 18 juillet 1973, « *Ville de Limoges* » : application du contrôle de proportionnalité, entraînèrent la réaction du législateur qui, en 1976, **interdit toute dérogation** aux règles et servitudes définies par le POS « **à l'exception des adaptations mineures rendues nécessaires par la nature du sol, la configuration des parcelles ou le caractère des constructions avoisinantes** ». La légalité de l'adaptation suppose un **faible dépassement** de la norme et un motif fondé limitativement sur l'une des trois situations prévues.

La jurisprudence sur les adaptations mineures est abondante. Elle concerne les hauteurs, les distances, la densité, l'emprise au sol… et repose essentiellement sur l'examen des circonstances de fait.

D. Contentieux de la légalité

• **Acte réglementaire**, le PLU ne confère pas de droits acquis aux particuliers mais ceux-ci peuvent former un **recours en excès de pouvoir** contre les différents actes faisant grief de la procédure, recours qui sont indépendants les uns des autres. L'intérêt pour agir est largement entendu : habitants de la commune, associations (en conformité avec les buts qu'elles se sont assignées), commune voisine.

Afin de simplifier la situation née de l'annulation ou de la déclaration d'illégalité d'un document d'urbanisme, l'article **L. 121-8**, issu de la loi SRU, pose en principe le retour au droit immédiatement antérieur sans exception. À défaut de document d'urbanisme régulier antérieur, les dispositions du RNU s'appliquent.

Le Conseil d'État exerce sur le contenu du POS un contrôle restreint de **l'erreur manifeste** d'appréciation qui peut entraîner une annulation seulement partielle. Le juge estime « qu'il est dans la nature de toute réglementation d'urbanisme de distinguer des zones où les possibilités de construire sont différentes ainsi que des zones inconstructibles » et que, sauf erreur manifeste, ce **zonage** « ne porte pas atteinte au principe d'égalité des citoyens devant la loi ».

Eu égard au « caractère irréaliste » de la pesée des avantages et des inconvénients si elle était appliquée au contenu des POS, la théorie du **bilan** n'est pas retenue pour ce contrôle (v. concl. Labetoulle sur CE 23 mars 1979, « *Commune de Bouchemaine* »). On peut faire observer que rien n'interdit au juge de prendre en considération certains éléments de « désutilité » du projet pour apprécier s'il y a eu erreur manifeste et qu'en pratique le contrôle exercé peut être assez poussé.

• L'illégalité du POS peut aussi être constatée **par voie d'exception**. Le plan illégal subsiste et, en attendant que la procédure de révision engagée pour corriger l'illégalité aboutisse, la commune doit s'abstenir d'appliquer la règle déclarée illégale.

Pour limiter les risques d'annulation contentieuse des autorisations de construire, l'article **L. 600-1**, issu de la **loi du 9 février 1994** décide que l'illégalité pour vice de forme ou de procédure d'un SCOT, d'un PLU ou d'un document d'urbanisme en tenant lieu ne peut être invoquée par voie d'exception après l'expiration d'un délai de 6 mois à compter de la prise d'effet de ce document.

Outre que cette exception à un des contentieux administratif traditionnels renforce l'aspect dérogatoire du droit de l'urbanisme, il n'est pas certain que cette réforme ait pour effet de réduire le contentieux de la légalité des POS.

Les trois exceptions à cette exception à l'exception d'illégalité ne sont guère déterminantes : absence de mise à disposition du public des SCOT ; absence de rapport de présentation (hypothèse d'école sauf si on assimile l'insuffisance à l'absence ce qui paraît contraire à la lettre du texte) ; méconnaissance substantielle ou violation des règles de l'enquête publique.

• Les conséquences de l'annulation d'un PLU sur la légalité des permis de construire délivrés sur son fondement ont été précisées par la jurisprudence. Le permis de construire ne constitue pas un acte d'application du plan et il s'ensuit que l'annulation d'un PLU **n'entraîne pas de plein droit celle du permis** sauf si ce dernier a été délivré en application de dispositions illégales spécialement édictées pour rendre possible l'opération de construction contestée : CE 12 décembre 1986, « *Société Gepro* ». Cette jurisprudence a été étendue aux autorisations de lotir : CE 8 juin 1990, « *Assaupamar* ».

§4 RÉVISION ET MODIFICATION (art. L. 123-13)

Les règles du PLU doivent pouvoir évoluer et s'adapter aux changements d'orientation des politiques communales en matière d'aménagement et d'urbanisme. La mobilité des plans est naturelle, c'est l'urbanisme dérogatoire qui ne l'est pas.

Outre des **mises à jour**, deux procédures ont été prévues.

A. Révision

Elle ne peut intervenir **qu'après l'approbation**. Elle est **totale ou partielle**. L'initiative est prise par le conseil municipal et la procédure est la même que pour l'élaboration. La délibération qui prescrit la révision précise les objectifs de la commune. L'ancien plan reste en vigueur jusqu'à l'approbation du plan révisé.

Le plan révisé est approuvé par délibération du conseil municipal.

Des procédures spéciales de **révision** sont prévues afin d'obliger les communes à adapter leur PLU à un projet d'intérêt général ou pour le rendre compatible avec une norme supracommunale. Une procédure simplifiée est prévue (rectification d'une erreur matérielle, construction ou opération présentant un intérêt général.)

Près de **40 %** des POS approuvés des villes de plus de 10 000 habitants sont en cours de révision.

B. Modification

Procédure assouplie, elle ne peut être utilisée qu'à la condition qu'il ne **soit pas porté attcinte à l'économie générale du PADD**, qu'il ne réduise pas un espace boisé classé, une zone agricole ou une zone naturelle et forestière, qu'il ne comporte pas de grave risque de nuisances.

La **jurisprudence** a dû préciser la portée de ces dispositions à l'origine de la distinction entre les procédures de révision et modification. L'**attcinte à l'économie générale du plan** sera constatée si les modifications remettent en cause une option fondamentale d'urbanisme ayant une incidence sur l'ensemble du plan : cf. accroissement significatif des possibilités d'urbanisation. Mais des « ajustements » de zonage ou de hauteurs ne constituent pas une « atteinte », jurisprudence **empirique et souple**.

Sur initiative du maire, le PLU est « modifié par délibération du conseil municipal **après enquête publique** », processus allégé par rapport à la révision car l'intervention d'autres personnes publiques associées n'est pas requise, ce qui témoigne du rôle essentiel laissé au conseil municipal lorsqu'il désire modifier le PLU de la commune.

Le **sursis à statuer** ne peut être mis en œuvre lorsqu'il y a modification mais seulement lorsqu'il y a révision.

Le **préfet** informe la commune que le PLU doit être révisé ou modifié pour **être rendu compatible** avec les DTA, les dispositions particulières aux zones de montagne et du littoral et pour permettre la réalisation d'un nouveau PIG.

Si la commune se montre réticente ou reste silencieuse le préfet peut, après avis du conseil municipal et enquête publique, engager et approuver la révision ou la modification dans un délai de 6 mois.

Cette procédure interviendra aussi lorsque, dans un délai de 3 ans le PLU n'a pas été rendu compatible avec les orientations d'un SCOT.

La **DUP** d'une opération qui n'est pas compatible avec un PLU ne peut intervenir que si l'enquête publique a porté à la fois sur l'UP de l'opération et la mise en compatibilité du PLU. La DUP emporte approbation des nouvelles dispositions du plan.

> CHAPITRE II

LES RÈGLES ET DOCUMENTS APPLICABLES À CERTAINS ESPACES

Elles ont en commun d'être largement décentralisées et pourraient être regroupées selon les objectifs poursuivis : aménagement et développement d'une part, protection du patrimoine d'autre part.

> SECTION 1

Règles concernant l'aménagement et le développement

§1 LES SCHÉMAS RÉGIONAUX D'AMÉNAGEMENT DE LA RÉGION CORSE, DES DÉPARTEMENTS-RÉGIONS D'OUTRE-MER ET DE LA RÉGION D'ÎLE-DE-FRANCE

La France n'a pas fait le choix d'un aménagement planifié à l'échelon régional sauf pour des régions à statut particulier du fait de leur éloignement géographique ou de leur insularité : Corse et DOM ou de leur importance : la région d'Île-de-France. L'élaboration de ces schémas a été largement décentralisée au profit du **conseil régional.**

A. La Corse et les DOM

Les lois du 30 juillet 1982 et du 13 mai 1991 relatives au statut particulier de la **Corse** et celle du **2 août 1984** relative à celui des **quatre DOM** ont prévu l'élaboration du schéma à l'initiative et sous l'autorité du conseil régional et de son président. L'État, le département et les communes ne sont qu'associés.

Après que le projet ait été mis à la disposition du public, il est approuvé par **décret en Conseil d'État** mais le refus d'approbation ne peut intervenir que pour des motifs de légalité.

Des **délais** avaient été fixés aux autorités régionales mais leur non-respect n'a pas déclenché immédiatement la procédure exceptionnelle de substitution des autorités de l'État. Des délais supplémentaires ont été accordés.

Le schéma régional **corse,** qui a valeur de SCOT, **(art. L. 144-1 à L. 144-4)** a été approuvé par décret en Conseil d'État en 1992 mais son application n'a guère été effective. La loi du **22 janvier 2002** relative à la Corse prévoit l'élaboration d'un PADD de la Corse qui se substituera au schéma d'aménagement et dont les dispositions figureront au CGCT. L'assemblée de Corse reçoit le pouvoir d'exercer des compétences réglementaires pour l'application de certaines dispositions de la loi littoral.

Les schémas ont les mêmes effets que les directions territoriales d'aménagement (DTA) et s'imposent aux documents locaux d'urbanisme. Par ailleurs, puisqu'ils concernent des territoires fortement liés à la mer, une attention toute particulière doit être portée aux grandes orientations de protection et d'aménagement du **littoral** et ils ont aussi valeur de **SMVM.**

Des dispositions particulières au littoral ont été prises dans les DOM **(art. L. 156-1 à L. 156-3).** La bande littorale a la même largeur que la réserve des 50 pas géométriques, soit

81,20 m. Le SAR de l'Île de la Réunion a été approuvé par décret en 1995, celui de la Martinique en 1998 et celui de la Guadeloupe en 2000.

B. Le schéma directeur de la région d'Île-de-France (art. L. 141-1 à L. 141-3)

Dans la région d'Île-de-France plusieurs documents de portée juridique variable se sont succédé : projet d'aménagement de la région parisienne approuvé par une loi de 1941, plan d'aménagement et d'organisation générale (**PADOG**) à partir de 1960, élaboré dans une perspective de forte croissance qui n'avait pas valeur de plan d'urbanisme. Il sera revu à la baisse dans le schéma directeur **approuvé par le décret du 1er juillet 1976, mis en révision dès 1979** qui portait le nom de SDAURIF.

La loi du 7 janvier 1983 ne décentralise pas ce régime. Le schéma qui porte le nom de SDRIF a été établi sous la responsabilité du **préfet de région** avec la participation des représentants du conseil régional.

Les effets du schéma ont été assimilés aux prescriptions particulières d'aménagement et d'urbanisme prises en application de l'article L. 111-1-1. Au grand dam des aménageurs et des élus communaux, plusieurs ZAC importantes de la région d'Île-de-France furent annulées pour incompatibilité avec les dispositions du schéma : cf. CE 5 octobre 1990, « *Commune de Levallois- Perret* », CE 8 novembre 1993 : « *Ville de Paris c/Ass. de sauvegarde de l'environnement Maillot Champerret* » : la ZAC était incompatible avec l'extension du secteur tertiaire prévu par le schéma à l'Est de Paris. Par contre, la ZAC « *Seine Rive Gauche* » ne sera pas censurée : CE 3 décembre 1993, « *Ville de Paris c/Parent* ».

Après une interminable phase de négociations semée d'embûches, le nouveau SDRIF a été approuvé par décret en Conseil d'État le **26 avril 1994**.

La décentralisation de l'élaboration du SDRIF, à l'instar des autres schémas régionaux, a été réalisée par la **loi du 4 février 1995**. Le schéma est désormais élaboré sous la responsabilité de la région et adopté par le Conseil régional avant d'être approuvé par décret en Conseil d'État. Il a les mêmes effets que les DTA.

§2 LE DÉVELOPPEMENT INTERCOMMUNAL : LES CHARTES INTERCOMMUNALES DE DÉVELOPPEMENT ET D'AMÉNAGEMENT

Ces chartes, dont le régime est fixé par le Code rural, ont pris la suite des **plans d'aménagement rural**. Leur objet est double : définir les perspectives du développement économique, social et culturel d'un ensemble de petites communes rurales unies par une **solidarité** souvent géographique et déterminer des programmes communs d'action. La procédure d'élaboration est **largement décentralisée**. La délimitation de leur périmètre suppose l'accord unanime des communes concernées.

Les effets juridiques de chartes, quoique peu contraignants, imposent cependant aux collectivités locales de prendre en compte leurs dispositions lors de l'élaboration de leurs documents d'urbanisme et de veiller à la compatibilité des politiques départementales des espaces naturels sensibles avec leurs orientations.

La grande liberté laissée aux communes pour mettre en chantier les chartes et l'intérêt de ces documents de collaboration et planification souple aurait dû conduire à leur développement qui demeure limité, distancé par de nouvelles formules contractuelles, foisonnantes actuellement, tel le « projet de territoire ».

§3 Les programmes locaux de l'habitat (PLH)

• Ils s'inscrivent dans une nouvelle approche de la politique de la ville soucieuse de réagir contre la dégradation de certains quartiers du centre-ville et de la périphérie et de favoriser la cohésion sociale et la diversité de l'habitat. Prévus dès 1983 comme des documents d'étude et restés sans réelle portée, ils ont reçu une consécration nouvelle dans **la loi d'orientation sur la ville du 13 juillet 1991 (art. L. 302-1 à L. 302-7 CCH)** qui vise à en faire des « outils de programmation articulant aménagement urbain et politique de l'habitat. »

La loi SRU prévoit que les PLH doivent être compatibles avec les SCOT et que les PLU doivent être compatibles avec les PLH.

Les PLH ne sont que facultatifs. Ils sont le plus souvent intercommunaux. Leur élaboration est une compétence de plein droit des communautés urbaines et des communautés d'agglomération. En 2000, près de 300 PLH avaient été signés.

• Une **forte pression** avait été faite par la loi de 1991 sur les **grandes agglomérations**, (plus de 200 000 habitants) dont le pourcentage en logements sociaux était faible (moins de 20 % des résidences principales) pour qu'elles se dotent d'un PLH.

La loi SRU modifie le régime des contraintes posant sur les communes en matière d'habitat (art. L. 302-5 nouveau CCH).

Comme il a été dit (cf. *supra*), dans les communes dont la population est au moins égale à 1 500 habitants en Île-de-France et 3 500 habitants ailleurs, communes comprises dans une agglomération de plus de 50 000 habitants, le **nombre total de logements sociaux** doit **représenter au moins 20 % des résidences principales**. À défaut un **prélèvement** sur leurs ressources fiscales (1 000 F par logement manquant) interviendra, affecté à des actions foncières et immobilières en faveur du logement social. Des dérogations sont prévues et bien des précisions devront être approuvées quant à l'interprétation de ces dispositions.

§4 Les schémas de développement commercial

La **loi du 5 juillet 1996** relative au développement du commerce et de l'artisanat a prévu d'une part l'établissement d'un « Programme national de développement et de modernisation des activités commerciales et artisanales » qui n'aura qu'une valeur indicative et des « schémas de développement commercial », « POS des commerces » a-t-on dit, élaborés par l'observatoire départemental d'équipement commercial.

Ces schémas intercommunaux ou même interdépartementaux doivent être compatibles avec les SCOT et prendre en considération les DTA et les schémas régionaux d'aménagement.

> ## Section 2

Règles concernant la protection du patrimoine et des sites

La protection du patrimoine culturel immobilier fait une large place au contrôle des services spécialisés de l'État. Elle est cependant de plus en plus influencée par la décentralisation : règles protectrices du PLU, ZPPAUP, pouvoirs du maire dans la délivrance des autorisations et sera traitée ici.

§1 Les lois de 1913 et 1930

Il faut rendre hommage à ces deux vénérables lois (précédées par celles du 30 mars 1887 et du 21 avril 1906) toujours en vigueur, prévoyant un dispositif énergique de protection qui a permis de **sauvegarder** un patrimoine historique et culturel riche et menacé.

A. Loi du 31 décembre 1913 sur les monuments historiques

Elle institue au profit des immeubles dont la conservation présente **un intérêt public historique ou artistique** un double système de protection, l'un souple : **l'inscription** à l'inventaire qui exige seulement du propriétaire du bien qu'il dépose auprès de l'administration une déclaration préalable concernant les modifications qu'il désire apporter au bâtiment, l'autre plus contraignant : le **classement** prononcé soit à l'amiable, soit d'office et qui subordonne à autorisation préalable tous les travaux effectués sur le monument. Plus de 12 000 édifices ont été classés.

La protection fut étendue aux **abords du monument** et une loi du 25 février 1943 détermina ces abords selon un critère à la fois **géographique** : immeubles situés dans un cercle d'un **rayon de 500 mètres** autour du monument, et **visuel** : immeubles se trouvant dans le **champ de visibilité** du monument. Les immeubles situés « aux abords » ne peuvent faire l'objet d'aucune transformation de nature à en affecter l'aspect sans autorisation préalable donnée par un fonctionnaire du ministère de la Culture : l'architecte des Bâtiments de France (ABF). Le permis de construire tient lieu de cette autorisation s'il est revêtu du visa de l'ABF (**art. L. 421-6**).

Le maire, responsable de la délivrance du permis de construire, peut se trouver en désaccord avec la position de l'ABF. Le premier se prononce au regard de la législation de l'urbanisme, le second au regard de la législation sur les monuments historiques. Désormais, un **appel** de la décision de l'ABF peut être fait par le maire auprès du **préfet de région** (loi du 27 février 1997).

La loi SRU (art. 40) permet une adaptation du « cercle » de façon à circonscrire plus finement l'environnement du monument à protéger. Elle pourra être faite à l'occasion de l'élaboration ou de la révision du PLU sur proposition de l'ABF et avec l'accord de la commune.

B. Loi du 2 mai 1930 sur les sites

Elle retient le même régime d'**inscription à l'inventaire** obligeant à une simple déclaration préalable et de **classement** imposant une autorisation préalable et concerne les sites dont la conservation ou la préservation présente, « **au point de vue artistique, historique, scientifique, légendaire ou pittoresque un intérêt général** ». Des **zones de protection** peuvent être instituées autour des sites inscrits ou classés. Ces dispositions ont été utilisées pour protéger des espaces naturels, tels des massifs montagneux parfois très vastes.

Ces lois sur le patrimoine culturel, historique et naturel créent ainsi des **servitudes** qui figurent obligatoirement en annexe des PLU et s'imposent aux autorisations individuelles. Les pouvoirs publics ont, par ailleurs, mis en place des **documents d'urbanisme spécifiques** destinés à encadrer les procédures d'inscription et de classement.

Il s'agit d'une part d'une procédure restée centralisée de réhabilitation des quartiers anciens : les **secteurs sauvegardés**, d'autre part d'une planification décentralisée du patrimoine : les **ZPPAUP**.

§2 SECTEURS SAUVEGARDÉS ET ZONES DE PROTECTION DU PATRIMOINE ARCHITECTURAL, URBAIN ET PAYSAGER (ZPPAUP)

La protection du patrimoine architectural et urbain est traditionnellement une compétence de l'État, ce que confirme le maintien des mesures de protection : classement et inscription, des lois de 1913 et 1930 et celui de systèmes plus spécifiques, en particulier les **secteurs sauvegardés**. **Les zones de protection du patrimoine architectural, urbain et paysager : ZPPAUP** sont une exception à cette règle puisqu'elles permettent aux communes qui le souhaitent de prendre en charge, conjointement avec l'État, cette protection.

A. Une survivance de la centralisation : les secteurs sauvegardés

(art. L. 313-1 à L. 313-3)

Afin de protéger et restaurer les quartiers anciens et plus particulièrement les centres historiques des villes souvent dégradés, la **loi Malraux du 4 août 1962** a mis au point un système de protection spécifique alliant planification et mesures réglementaires : celle des **secteurs sauvegardés**. Il était urgent de réagir contre les effets dévastateurs de la politique de **rénovation urbaine dont l'objectif était de faire du « neuf »**, au lieu de réhabiliter. Des centres anciens pittoresques, tels ceux d'Albi et d'Avignon, étaient menacés.

Dans un secteur présentant « un caractère historique, esthétique ou de nature à justifier la conservation, la restauration et la mise en valeur de tout ou partie d'un ensemble d'immeubles » un **document spécifique d'urbanisme** est élaboré : le **plan de sauvegarde et de mise en valeur**. Une fois publié, il remplace le PLU en imposant des règles beaucoup plus précises que celui-ci sur la restauration et la valorisation des bâtiments existants.

Dès la délimitation du secteur des mesures de sauvegarde interviennent, en particulier les travaux de transformation des immeubles sont soumis à l'**accord préalable** de l'ABF.

La procédure **n'a pas été décentralisée**. C'est un arrêté ministériel ou un décret en Conseil d'État (si la commune est défavorable) qui prescrit l'élaboration du plan de sauvegarde. La conception de ce plan, confiée à un architecte, est placée sous l'autorité du préfet qui a compétence pour rendre le plan public. Le plan, enfin, est arrêté par **décret en Conseil d'État** ou arrêté ministériel si le conseil municipal l'accepte. La loi SRU précise que les immeubles concernés peuvent être bâtis ou non bâtis.

En fait, la création et l'aménagement des secteurs sauvegardés ont presque toujours été réalisés en étroite **collaboration** avec les autorités communales, même avant la décentralisation de 1983. L'**architecte** chargé de mettre au point le plan de sauvegarde est désigné par le maire après agrément ministériel et, au sein de la commission locale du secteur, les représentants de la commune jouent un rôle prépondérant. C'est ce qui explique le succès de la formule, en dépit des lourdeurs procédurales. **90 secteurs** sauvegardés environ peuvent actuellement être dénombrés. Les premiers approuvés (entre 1971 et 1974) furent ceux de Chartres, Saumur, Rouen et Le Mans.

B. Les ZPPAUP

L'automatisme de la législation des « abords », le caractère paralysant et discrétionnaire des appréciations de l'architecte des Bâtiments de France ont incité le législateur à prévoir des documents d'urbanisme spécifiques, largement **décentralisés**. Les ZPPAUP ont été créées par l'article 70 de la loi du 7 janvier 1983. C'est le Code de l'environnement qui accueille les dispositions les concernant. La loi du 8 janvier 1993 étend aux « paysages » le champ d'application de ces zones désormais qualifiées de « zones de protection du patrimoine architectural, urbain et paysager » (ZPPAUP).

1. Objet

La création des ZPPAUP est **facultative** et les finalités à poursuivre larges. Elles peuvent être instituées autour des monuments historiques et dans les quartiers et sites à protéger « **pour des motifs d'ordre esthétique ou historique** ».

Elles ne sont prévues ni dans les secteurs sauvegardés ni dans les sites classés. Par contre, elles peuvent se **substituer** au régime des abords autour des monuments historiques et elles sont destinées à remplacer les zones de protection autour des sites inscrits. Elles interviennent donc aussi bien en zone rurale qu'en zone urbaine.

2. Création

La procédure est largement décentralisée. L'initiative est normalement dévolue à la commune, exceptionnellement au préfet de région. Pour la préparation du projet de zone, le groupe d'étude est placé sous l'autorité du maire avec le plus souvent l'assistance de l'ABF.

Soumise à différents **avis** : conseils municipaux, **conseil régional du patrimoine et des sites**, la zone est, après **enquête publique**, arrêtée par le préfet de région, mais sous réserve de l'accord des élus locaux. Cet accord est aussi requis lorsque le ministre chargé de l'urbanisme décide d'évoquer le projet.

3. Effets

Très variés, ils vont de la simple **recommandation** à de véritables **contraintes** : choix de matériaux, de couleurs et à des interdictions totales ou partielles de construire, démolir, déboiser…

Ces dispositions constituent des **servitudes d'utilité publique** qui l'emportent sur les servitudes du PLU lequel devra éventuellement être modifié ou révisé en cas de contradiction.

Tous les travaux sur des bâtiments situés dans la zone sont soumis à **autorisation spéciale** donnée après avis conforme de l'architecte des Bâtiments de France. En cas de désaccord avec le maire celui-ci peut saisir le préfet de région qui tranchera après consultation du collège régional du patrimoine et des sites.

En 2001, 300 ZPPAUP environ étaient approuvées. 600 étaient en cours d'élaboration, les 2/3 concernant des communes de moins de 5 000 habitants.

§3 LES ESPACES DE PROTECTION DE L'ENVIRONNEMENT

A. Espaces naturels sensibles (art. L. 142-1 à L. 142-13)

Conçus comme un régime de protection des paysages et plus spécialement des **espaces boisés**, des « périmètres sensibles » virent le jour en 1959, applicables à l'origine au **littoral** Provence-Côte d'Azur puis à tous les départements littoraux.

La **loi du 18 juillet 1985**, en décentralisant assez largement la procédure, a élargi le champ d'application et les effets de ce qu'on qualifie désormais d'espaces naturels sensibles ».

1. Objectifs

Ils sont très larges mais privilégient la **protection** par rapport à la mise en valeur. Il s'agit de « préserver la qualité des sites des paysages, des milieux, des habitats naturels » et plus généralement de mettre en œuvre une politique de protection, de gestion et d'ouverture au public. Il ne peut s'agir que d'espaces naturels (boisés ou non), ce que ne sont pas, par exemple, des vestiges archéologiques. L'objectif de protection est primordial : **CE 22 février 2002**, « *Ass. sauvegarde du bassin des Trieux* ».

Les **départements**, qu'ils soient littoraux ou non, ont compétence pour « élaborer et mettre en œuvre une politique de protection, de gestion et d'ouverture au public des espaces naturels sensibles boisés ou non ». Les orientations de la directive « Habitats » (1992) de la CEE doivent être prises en compte.

2. Création et moyens

La procédure a été **décentralisée** au profit des autorités départementales. C'est le conseil général qui prend l'initiative et met en œuvre les moyens à sa disposition, en particulier, l'institution de zones de préemption et celle d'une **taxe départementale des espaces naturels sensibles**, désormais applicable sur l'ensemble du département et qui a remplacé celle sur les espaces verts. Elle peut aussi être utilisée pour l'acquisition, l'aménagement et l'entretien des espaces naturels boisés ou non, des sentiers, chemins et immeubles divers et pour la gestion des chemins le long des cours d'eau (loi du 3 janvier 1992 sur l'eau). La loi du 2 février 1995 a étendu le champ d'application de la taxe qui est désormais perçue à l'occasion des opérations de construction ainsi que pour des installations et travaux divers.

3. Droit de préemption (art. L. 142-3)

Son titulaire est le **département** ou, s'il n'use pas de ce droit, le **Conservatoire de l'espace littoral et des rivages lacustres**, ou encore la commune par délégation. Des **zones de préemption** peuvent être créées mais dans le seul but de mettre en œuvre les objectifs de l'article L. 142-1 : préservation des espaces naturels et des sites, ouverture au public cf. annulation de la création d'une zone dans le seul souci de préserver l'agriculture : CE, 16 juin 1995, « *Préfet des Yvelines* ». La loi SRU autorise le département à déléguer le droit de préemption à un EP foncier.

Le juge exerce un contrôle normal sur la création de la zone de préemption et un contrôle restreint sur son étendue. Il apprécie notamment la conformité de ce classement avec les dispositions des SCOT.

B. Directives paysagères

La **loi** « **paysages** » du **8 janvier 1993** a prévu des directives de protection et de mise en valeur des paysages, applicables aux « territoires remarquables par leur intérêt paysager » et dont le contenu (rapport de présentation et documents graphiques mais pas de règlement) prouve le caractère **incitatif** de leurs dispositions.

La loi impose cependant aux SCOT et aux PLU d'être **compatibles** avec ces dispositions et, en l'absence de PLU, les directives sont directement opposables aux autorisations d'occupation du sol.

La décision de mise à l'étude relève du seul ministre de l'Environnement. L'élaboration et l'instruction sont conduites par le préfet en concertation avec les associations agréées et les collectivités locales concernées. La directive est approuvée par décret en Conseil d'État.

Les premières directives paysagères approuvées concernent la côte de la Meuse, les Alpilles et le site de la cathédrale de Chartres.

Par ailleurs, la loi paysages a renforcé les effets induits des **chartes des parcs régionaux.** Les SCOT et les PLU doivent être **compatibles** avec leurs orientations qui ne sont toutefois par opposables aux autorisations individuelles. Plus généralement, la prise en compte des « paysages », terme qui apparaît de plus en plus dans les textes, doit intervenir dans les documents d'urbanisme et dans les permis de construire (cf. *infra* « volet paysager »).

C. Les plans de prévention des risques naturels prévisibles (PPRNP)

À la suite de la **loi du 2 février 1995** ils ont pris la suite des plans d'exposition aux risques naturels de la loi du 13 juillet 1982. Ces derniers avaient eu peu de succès : à peine 300 avaient été approuvés alors que le nombre des communes soumises à ces risques était estimé à plus de 12 000.

Suite à de nouvelles catastrophes, telles celles du Grand Bornand et de Vaison-la-Romaine, le nouveau système de prévention est renforcé par la loi Barnier de 1995 (cf. **art. L. 562-1** et suiv. C. envir.).

Ces plans concernent les inondations, les avalanches, les incendies de forêt, les éruptions volcaniques, les cyclones... Ils délimitent deux catégories de zones : celles exposées aux risques où le règlement du plan peut interdire toute construction et celles non directement exposées, soumises aussi à des prescriptions rigoureuses pouvant aller jusqu'à l'interdiction de construire.

L'établissement des plans est de la responsabilité de l'État, et déconcentrée au profit du préfet.

En dépit de critiques doctrinales, les PPRNP se sont vu reconnaître la qualité de documents d'urbanisme. Avis contentieux du CE 3 décembre 2001 : « *SCI, rue de la Poissonnerie* ».

Deuxième partie

Maîtriser le sol, financer, aménager

L'affectation et l'utilisation des sols ayant été réglementée et planifiée selon un certain nombre de prescriptions et contraintes empêchant de faire ou imposant de ne faire que dans des limites préétablies, il convient d'étudier l'aspect dynamique, opérationnel de l'utilisation des sols.

La présentation des principales opérations d'aménagement urbain, en particulier les **lotissements** et les **ZAC** sera précédée de celle des moyens préalables à leur réalisation : **action sur le marché foncier** pour l'appropriation des terrains, **financement des équipements** propres à l'aménagement.

TITRE I
La maîtrise foncière

La question foncière urbaine, à l'origine de débats politiques délicats, est confrontée à un double défi : **la recherche de terrains disponibles** et celle d'une maîtrise des prix propre à **freiner la spéculation foncière** : les prix fonciers s'accroissent toujours plus vite que le coût de la vie et le coût de la construction.

Elle est à l'origine d'une permanente confrontation entre deux principes fondamentaux : celui du droit de propriété proclamé « inviolable et sacré » par la Déclaration des droits de l'homme et qui a ainsi valeur constitutionnelle et celui d'une « communautarisation » du sol, le territoire français étant pour le législateur (art. L. 110 C. urb.) le « patrimoine commun de la nation », ce que Léon Duguit exprimait déjà en parlant de la « fonction sociale » de la propriété. Bien qu'ayant « pleine valeur constitutionnelle », le droit de propriété en ses finalités et son exercice connaît une évolution caractérisée par « des limitations exigées par l'intérêt général » (Cons. const., décision « Nationalisations », 16 janvier 1982).

Pour aider les aménageurs publics ou privés à acquérir la propriété de terrains parfois abusivement retenus en vue d'une spéculation ultérieure, deux procédures spécifiques énergiques sont à la disposition des collectivités publiques. L'une, fort ancienne, est celle de l'**expropriation** pour cause d'utilité publique ; l'autre, plus récente, dont le champ d'application n'a cessé de s'étendre, est celle de la **préemption**.

Ces deux procédures peuvent être mises au service soit d'opérations ponctuelles d'aménagement, soit d'une politique globale de mise en réserve des terrains. Elles ont été sensiblement modifiées, en particulier par la **loi aménagement du 18 juillet 1985**.

> CHAPITRE 1
L'EXPROPRIATION AU SERVICE DE L'AMÉNAGEMENT

> SECTION 1
Notion

Vénérable système, connu dès la plus haute Antiquité, (cf. aménagement des thermes et aqueducs à Rome), procédure dont les principes furent posés dans la Déclaration des droits de l'homme de 1789 (art. 2 et 17), les traits essentiels dans le Code civil (art. 545) et la loi du 8 mars 1810 (suite à la célèbre note dictée par Napoléon à Schönbrunn), et dont le régime actuel est fixé par l'ordonnance du 23 octobre 1958, l'expropriation pour cause d'utilité publique est une procédure ayant pour objet de réaliser le transfert forcé de la propriété d'un bien ou d'un droit réel immobilier dans un but d'utilité publique, moyennant le paiement d'une juste et préalable indemnité.

N'ayant à l'origine que de lointains rapports avec les **questions d'urbanisme**, l'expropriation est perçue désormais comme l'un des moyens, le plus radical, d'acquérir des terrains en dépit de la résistance des propriétaires afin de les équiper et de les aménager.

La législation de l'expropriation et celle de l'urbanisme constituent en principe deux systèmes **indépendants.** Cependant des liens se sont irrésistiblement noués avec le développement des documents d'urbanisme et la jurisprudence a précisé que les expropriations doivent être

compatibles avec les dispositions des SD CE 22 février 1974, « *Sieur Adam* » et avec celle des POS (CE 11 janvier 1974, « *Dame Barbaro* »). La loi SRU rappelle que **l'enquête publique** doit porter **à la fois** sur l'utilité publique de l'opération et sur la mise en compatibilité du PLU ou du SCOT (art L 123-16 et L 122-15). La DUP emporte approbation des nouvelles dispositions du plan et du schéma.

Diverses mesures sont intervenues pour faciliter l'usage de la procédure d'expropriation lorsque des opérations d'urbanisme et d'aménagement sont envisagées, les EP fonciers locaux pouvant recourir à l'expropriation (cf. *supra*)

> SECTION 2
Titulaires et bénéficiaires

Si la **décision d'ouvrir l'enquête** préalable et celle **déclarant l'utilité publique** (décret en Conseil d'État, arrêté ministériel ou préfectoral) sont des compétences qui appartiennent à **l'État**, **l'expropriant** – c'est-à-dire le titulaire du droit d'exproprier – peut être, outre l'État, les collectivités territoriales, les EP, ainsi que les partenaires de certaines opérations d'aménagement ayant un statut de personne privée, telles les SEML d'aménagement.

Quant aux **bénéficiaires**, il est admis depuis 1953 que les terrains expropriés pour la réalisation d'opérations figurant sur une longue liste à l'article L. 21-1 du Code de l'expropriation (en particulier **la construction d'ensembles immobiliers à usage d'habitation**, les **opérations de ZAC**, **la constitution de réserves foncières**) puissent être cédés ou concédés temporairement à des personnes de droit public et aussi de **droit privé**.

On observe aussi une large extension des finalités de l'expropriation.

> SECTION 3
Destination des terrains

Les **finalités légitimes** de l'expropriation n'ont cessé, de **s'étendre**. Les objectifs du progrès économique avaient déjà entraîné un vaste dépassement qui fut encouragé par le **développement de l'urbanisme opérationnel**. La jurisprudence soutient cette évolution et ne retient, en somme, que trois objectifs propres à frapper d'**illégalité** l'expropriation : un intérêt financier ou un intérêt privé exclusifs, la volonté de faire l'échec à la chose jugée.

La possibilité récente de recourir à l'expropriation pour la constitution de **réserves foncières** a encore élargi son champ d'application puisque, dans cette hypothèse, la destination des terrains n'a pas à être précisée.

Une même imprécision se retrouve lorsqu'est autorisée la présentation d'un **dossier d'enquête publique allégé**. Afin de faciliter l'acquisition des terrains et d'éviter la spéculation foncière, la jurisprudence a admis que pour certaines opérations d'urbanisme longues et complexes, un **dossier sommaire** pouvait suffire pour être présenté à l'enquête publique, ce qui contraint le public consulté à n'avoir que des informations superficielles sur les futurs travaux d'aménagement.

> SECTION 4
Liens entre indemnité et constructibilité

L'indemnité principale et celle de réemploi étaient auparavant calculées au **prix du marché foncier**, ce qui avait pour conséquence des coûts élevés.

Afin de les modérer, la loi du 18 juillet 1985 les lie désormais aux **possibilités de construire** attachées au terrain. Il sera ainsi tenu compte des servitudes et surtout de la qualification ou non de « **terrain à bâtir** ».

Autrefois liée à la viabilité, cette qualification se fonde désormais, aussi, sur « la situation dans un secteur **considéré comme constructible** au regard des règles d'urbanisme » (**art. L. 13-15**, Code de l'expropriation). Contestée, devant le Conseil constitutionnel, cette disposition fut estimée respecter les principes fondamentaux du droit de propriété (décision du 17 juillet 1985). L'indemnité d'expropriation est devenue ainsi étroitement liée au « **zonage** » et soumise, de ce fait, aux fluctuations des politiques locales.

> Section 5
Contrôle juridictionnel de l'utilité publique

L'élargissement de la procédure d'expropriation et l'imprécision des conditions de sa mise en œuvre et de ses finalités ont conduit le juge à exercer un **contrôle plus poussé de l'utilité publique** des opérations, contrôle *in concreto* plus réaliste.

L'expropriation a été à l'origine de l'introduction dans le contentieux administratif du fameux **contrôle de proportionnalité**, qualifié de « maximum », où le juge administratif s'autorise à tirer le **bilan** des avantages et des inconvénients d'une opération présentée comme d'utilité publique : CE 28 mai 1971, « *Ville nouvelle Est* ». Un considérant de principe a été mis au point : « Considérant qu'une opération ne peut être déclarée d'utilité publique que si les atteintes à la propriété privée, le coût financier et éventuellement les inconvénients d'ordre social et les atteintes à d'autres intérêts publics qu'elle comporte ne sont pas excessifs eu égard à l'intérêt qu'elle présente ».

Bien que ne donnant lieu que rarement à des décisions d'annulation : le premier exemple en fut : CE 20 octobre 1972, « *Soc. civ. Sainte-Marie-de-l'Assomption* » (qui ouvrait par ailleurs, le contrôle du bilan à la prise en compte « d'autres intérêts publics » ce qui permit notamment celui de protection environnementale), ce contrôle poussé des circonstances de fait ou le juge refait la démarche intellectuelle ayant conduit l'administration à prendre la décision d'exproprier n'est pas sans influencer, à titre **dissuasif**, les autorités, averties de ce que l'utilité publique n'est pas une notion inconsidérément malléable.

Dans un arrêt du 28 mars 1997, « *Ass. contre le projet de l'autoroute transchablaisienne* » le Conseil d'État annule pour la première fois un décret déclarant l'UP d'une autoroute, en insistant sur la fiabilité économique et financière de l'opération (absente en l'espèce). Les préoccupations environnementales pèsent de plus en plus aussi dans la pesée appréciative.

> # Chapitre II
Le droit de préemption

> ## Section 1
Définition

En droit privé, ce droit peut être présenté comme permettant la substitution du préempteur (locataire, fermier, SAFER…) à un contractant originaire avec effet acquisitif et extinctif.

En droit public, c'est la possibilité donnée à une personne publique de se substituer à l'acquéreur éventuel d'un immeuble, situé dans un périmètre prédéfini.

À l'occasion de l'aliénation à titre onéreux de ce bien, tout propriétaire en zone de préemption doit, préalablement à la vente, adresser à l'administration une **déclaration d'intention d'aliéner** (DIA) indiquant le prix souhaité. L'autorité publique peut se porter prioritairement acquéreur, éventuellement à un prix inférieur, que le vendeur peut ou non accepter. **Le juge de l'expropriation** peut être saisi pour la fixation du prix.

> ## Section 2
Finalités

§1 Un instrument de lutte contre la spéculation foncière et de constitution de réserves foncières

Dans les années soixante, l'émergence d'un urbanisme opérationnel et planifié engendre chez les propriétaires de terrains destinés à une urbanisation future la tentation de **rétention** et d'**anticipation** sur les hausses des prix engendrée par la réalisation d'équipements publics à proximité.

Le droit de préemption fut institué en **1958** dans les **ZUP** pour une durée de quatre ans, et, en **1962**, dans les **ZAD** pour une durée de quatorze ans.

Il prit un essor considérable avec la création, par la loi foncière du **31 décembre 1975** des **ZIF**, zones d'intervention foncière dans lesquelles les collectivités publiques disposaient, **à titre permanent**, du droit de préemption.

Cette ampleur nouvelle du champ d'application donne aux collectivités publiques la possibilité de constituer des **réserves foncières**. Les terrains sont acquis, en principe, à un juste prix par un procédé moins impopulaire que l'expropriation puisque la préemption n'intervient que si le propriétaire manifeste son intention de vendre et s'il ne renonce pas ensuite à la vente, jugeant insuffisant le prix proposé.

§2 Le droit de préemption au service de l'environnement

Le régime des **espaces naturels sensibles** (cf. *supra*) autorise le conseil général à délimiter des périmètres dans lesquels le département dispose d'un droit de préemption.

L'objet de la préemption est lié à la **protection de l'environnement** et non à une politique d'urbanisme. Il s'agit de « préserver la qualité des sites, des paysages et des milieux naturels » et de mettre en œuvre « une politique de protection, de gestion et d'ouverture au public » (cf. *supra*). Cette dernière finalité peut autoriser, mais à titre exceptionnel, la préemption sur des terrains déjà bâtis.

La loi du 2 février 1995 accorde aux autorités des parcs nationaux et régionaux le droit de préempter dans les secteurs déclarés espaces naturels sensibles.

§3 LE DROIT DE PRÉEMPTION AU SERVICE DE L'AMÉNAGEMENT : LE DROIT DE PRÉEMPTION URBAIN (DPU)

La loi aménagement du 18 juillet 1985 a réorganisé complètement le système de la préemption. Elle a procédé à son élargissement et a décentralisé sa mise en œuvre (**art. L. 211-1 à L. 211-6**).

Dans les communes **dotées d'un PLU** exécutoire, les ZIF et les ZAD sont unifiées et remplacées par un **droit de préemption urbain (DPU)** lequel peut être institué sur tout ou partie des zones urbaines ou à urbaniser des PLU, et des plans de sauvegarde et de mise en valeur.

À l'origine la succession du DPU aux ZIF devait se faire d'office. Des critiques s'étant élevées contre cet automatisme, la loi du 17 juillet 1987 a subordonné la transformation des ZIF en zones de DPU à une **décision expresse des communes**.

Les communes ont toute **liberté pour instituer le DPU, en réduire le champ d'application ou même le supprimer**. Même s'il n'y a pas préemption effective, cette procédure constitue pour elles un moyen utile d'**observation foncière**.

Enfin, l'**État peut exiger** de la commune qu'elle instaure un DPU dans un **périmètre d'opération nationale** ou une zone concernée par un projet d'aménagement ou de travaux publics « pris en considération par l'État ». Il peut aussi, dans ces hypothèses, imposer à la commune de déléguer le DPU à une autre personne publique.

L'engouement pour le DPU s'est manifesté dans la quasi-totalité des communes urbaines. Mais le taux moyen de préemption effective reste faible : autour de 1 %. Les finances communales limitent les initiatives des élus.

§4 LE DROIT DE PRÉEMPTION AU SERVICE DE LA DIVERSITÉ DE L'HABITAT : LES NOUVELLES ZAD

A. Avant 1985

Créé en 1962, le système des **zones d'aménagement différé (ZAD)** permettait aux collectivités locales d'exercer par anticipation, une maîtrise des terrains en vue d'opérations d'urbanisme ou de réserves foncières.

Bien adapté à de tels objectifs, le droit de préemption pouvait être mis en œuvre, mais temporairement, **pendant quatorze ans**. Une **procédure** de **pré-ZAD** autorisait la délimitation d'un périmètre provisoire dans lequel ce droit s'exerçait avant même la création de la ZAD afin de rendre encore plus énergique l'**effet antispéculatif**.

Les ZAD pouvaient être instituées aussi bien dans les communes dotées d'un POS que dans celles qui n'en disposaient pas. La décision de création relevait de la compétence de l'État.

Au 1er juillet 1983, on recensait 4 854 ZAD couvrant 612 134 hectares et 70 pré-ZAD couvrant 27 318 hectares.

B. Nouveau régime de la loi du 18 juillet 1985

Mis en application le 1er juin 1987 et lié à l'uniformisation et à la **généralisation du DPU**, ce système devait avoir pour conséquence de supprimer les ZAD à l'intérieur des communes **dotées d'un POS** où leur était **substitué** le DPU. Les **ZAD** ne pouvaient plus être créées que dans les communes non dotées d'un POS où n'existait donc pas le DPU. Elles avaient pour vocation de pallier cette absence.

C. Retour à la généralisation des ZAD : loi du 13 juillet 1991 (art. L. 212-1)

La **loi d'orientation sur la ville** du 13 juillet 1991 (art. 35) accorde à l'État la possibilité de **créer des ZAD dans l'ensemble des communes** qu'elles soient ou non dotées d'un POS et qu'il s'agisse de zones naturelles ou urbaines. Le **droit de préemption-ZAD se substitue** au droit de préemption urbain, les deux droits ne pouvant s'exercer cumulativement.

Par ailleurs, la loi rétablit les **pré-ZAD**, c'est-à-dire les périmètres provisoires délimités par le préfet avant l'établissement d'une ZAD lui permettant d'exercer par anticipation le droit de préemption et dont la durée maximum est de deux ans.

C'est le « **retour de l'État** », la création et la gestion des ZAD étant de sa compétence (décret en CE en cas d'opposition communale, arrêté préfectoral normalement) et l'emportant sur les choix communaux tels qu'ils figurent dans le PLU.

En contrepartie, les communes se voient reconnaître un **droit de priorité** leur permettant de préempter prioritairement sur les biens vendus par l'État.

Le juge exerce un contrôle à la fois sur la volonté de réaliser un véritable projet d'aménagement et sur le caractère proportionné du périmètre de la ZAD au regard du projet : CE 20 janvier 1988, « *Commune de Molières* », disproportion d'une ZAD de 16 hectares dans une petite commune rurale en vue de la réalisation d'un lotissement.

> SECTION 3
Champ d'application et procédure

§1 TITULAIRES DU DROIT DE PRÉEMPTION

S'il s'agit du **DPU**, c'est **normalement la commune**, laquelle peut **déléguer** ce droit à l'État, une collectivité locale, un EP ou une SEM d'**aménagement**.

S'il s'agit d'une **ZAD**, l'acte créant la zone désigne le titulaire qui, comme précédemment peut être l'**État**, une **collectivité locale**, **un EP ou une** SEM d'**aménagement**.

§2 CHAMP D'APPLICATION

A. Objet

L'objet donné à la préemption n'a cessé de **s'élargir**. L'article **L. 210-1**, qui précise que toute décision de préemption doit mentionner l'objet pour lequel ce droit est exercé, permet son exercice en vue des actions ou opérations répondant :

• d'une part aux vastes objectifs de l'**aménagement** fixés à l'article **L. 300-1** issu de la loi du 18 juillet 1985 : mise en œuvre d'une politique locale de l'habitat, maintien, extension ou accueil des activités économiques, développement du loisir ou du tourisme, réalisation des équipements collectifs, mise en valeur du patrimoine, au service desquels les réserves foncières peuvent être réalisées (**art. L. 221-1**) ;

• d'autre part à l'objectif de **diversité de l'habitat** de la **loi du 13 juillet 1991**. La réalisation de logements sociaux étant d'intérêt national (art. 3), la constitution de réserves foncières pourra intervenir non seulement pour des « **opérations** » mais pour des « **actions** » d'aménagement, telles des actions d'accompagnement de la politique du logement (circ. 31 juillet 1991). La loi SRU renforce la possibilité de préempter pour mener à bien un programme local de l'habitat.

Le juge contrôle rigoureusement les motifs de la préemption pour éviter, en particulier, que l'administration saisisse une opportunité foncière sans poursuivre un véritable projet d'aménagement : CE 25 juillet 1985, « *Lebouc* » et CE 2 mars 1992, « *Ville d'Annemasse* ».

B. Biens soumis au droit de préemption

Ils sont envisagés de manière large et concernent « tout **immeuble** ou ensemble de **droits sociaux** donnant vocation à l'attribution **en propriété** ou **en jouissance** d'un immeuble ou d'une partie d'immeuble bâti ou non » (**art. L. 213-1**).

Les **exceptions** concernent, en particulier : les immeubles bâtis par les organismes d'HLM ceux faisant l'objet d'un contrat de vente d'immeuble à construire, les parts ou actions des sociétés d'attribution faisant l'objet d'une cession avant achèvement de l'immeuble ou, dans un délai de dix ans après l'achèvement, les immeubles cédés au locataire en exécution d'une promesse de vente ; pour le seul DPU, les immeubles bâtis depuis moins de dix ans, les locaux compris dans un bâtiment soumis à un régime de copropriété depuis plus de dix ans et la cession de parts ou d'actions de sociétés d'attribution.

La loi SRU admet la possibilité de préemption partielle.

C. Mutations soumises au droit de préemption

Il s'agit des **mutations à titre onéreux** : ventes, échanges, apports en société, constitution de rentes viagères, cession de droits indivis.

En sont donc **exclus** les mutations à titre gratuit (successions et donations), les transferts en jouissance (sans transfert de propriété) et les cessions à un coïndivisaire.

Il peut arriver qu'une unité foncière se trouve **pour partie seulement** en zone de préemption. La préemption est possible et le propriétaire a le choix entre demander l'acquisition de la totalité du bien mis en vente ou obtenir une indemnité pour perte de valeur de la partie non-soumise à préemption. Contrairement à la situation antérieure, la loi SRU admet la préemption à l'occasion d'une **aliénation non volontaire** : cf. vente forcée dans le cadre d'une saisie immobilière, préemption sur un immeuble faisant partie du patrimoine d'une société mise en liquidation judiciaire.

§3 PHASES DE LA PROCÉDURE (art. L. 213-1 à L. 213-18)

A. Déclaration d'intention d'aliéner

Le propriétaire désireux d'aliéner son bien doit préalablement adresser à la mairie de la commune une **déclaration d'intention d'aliéner** (**DIA**) en quatre exemplaires qui indique les prix et conditions de la mutation (**art. R. 213-5**).

Le maire **transmet** un exemplaire de cette déclaration au directeur des services fiscaux et au délégataire éventuel du droit de préemption.

La non-déclaration d'une aliénation soumise à préemption constitue une cause de nullité. L'action en **nullité** se prescrit par cinq ans à compter de la publication de l'acte transférant la propriété.

B. Réaction du titulaire du droit de préemption

Il dispose d'un délai de **deux mois** à compter de la réception de la DIA pour notifier au propriétaire son renoncement à l'exercice de ce droit ou son offre d'acquérir. Son **silence** durant deux mois vaut **renonciation** (**R. 213-7**). La proportion des transactions donnant lieu à préemption effective est faible (cf. *infra*).

Le titulaire du droit de préemption peut décider **d'acquérir le bien aux prix et conditions fixés par le vendeur**. La vente est alors considérée comme parfaite, l'accord étant réalisé sur la chose et sur le prix. Le transfert de propriété peut être constaté par acte notarié ou par un acte en forme administrative. Le paiement du prix doit intervenir dans les six mois.

Il peut aussi, après avoir consulté le service des Domaines, **proposer un prix différent** en précisant son intention de faire fixer le prix par la juridiction compétente en matière d'expropriation à défaut d'acceptation.

C. Réaction du propriétaire du bien soumis à préemption

En cas de **renonciation** expresse ou tacite de l'administration il devient libre d'aliéner son bien aux prix et conditions fixés dans la DIA.

En cas d'**offre d'acquisition** il dispose d'un délai de deux mois pour soit renoncer à vendre, soit accepter l'offre si le nouveau prix et les nouvelles conditions fixés par l'administration lui conviennent.

D. Intervention de la juridiction compétente en matière d'expropriation

Si le propriétaire maintient son prix et que l'administration l'estime excessif elle dispose d'un délai de quinze jours pour **saisir le juge de l'expropriation**. La procédure est celle suivie en matière d'expropriation (**art. R. 213- 11**).

E. Fixation du prix

Il ne s'agit pas, comme en matière d'expropriation d'une indemnité mais d'un **prix** qui sera exclusif de toute indemnité accessoire, en particulier l'indemnité de réemploi.

Sa fixation obéit aux règles suivantes :
- **période de référence** retenue : pour les ZAD, un an avant la publication de l'acte instituant la zone et pour le DPU la date du plus récent des actes rendant public, approuvant ou modifiant le PLU ;
- prise en compte des améliorations et changements d'affectation opérés par le propriétaire postérieurement à cette date ;
- prise en compte éventuelle, **à titre de comparaison**, des transactions intervenues pour des biens de même qualification situés dans la zone ou dans des zones comparables ;
- prise en compte éventuelle des **évaluations administratives et des déclarations fiscales.**

F. Suites de la décision de justice

Dans un délai de deux mois à compter de la décision juridictionnelle devenue définitive les parties peuvent :
- **accepter le prix** ;
- **renoncer à la mutation.**

Lorsque le titulaire du DPU renonce, il ne pourra plus exercer ce droit à l'égard du même bien pendant un délai de cinq ans. Le propriétaire pourra réaliser librement la vente mais au prix fixé par la juridiction, éventuellement révisé en fonction des variations du coût de la construction.

Le délai de paiement ou de consignation est de 6 mois. S'il n'est pas respecté l'ancien propriétaire peut demander la **rétrocession** du bien.

Les biens préemptés, lorsqu'ils sont affectés à l'un des objets prévus à l'article **L. 210-1, peuvent être cédés en pleine propriété** à une personne publique ou privée.

L'administration peut se contenter de **concéder l'usage** des biens. La formule la plus usuelle est celle du bail à construction (cf. *infra*).

§4 Garanties du propriétaire

A. Droit de délaissement

Le propriétaire d'un bien exposé à une préemption peut proposer au titulaire du droit **l'acquisition immédiate** de ce bien en indiquant le prix qu'il en demande (**art. L. 230-1 et L. 230-6**).

Ce système permet, comme dans le régime de l'expropriation auquel il est également applicable, de contraindre l'administration à **prendre position** dans des délais rapides sur les suites qu'elle entend donner à ses projets.

Il est perçu comme une **garantie offerte aux propriétaires** de retrouver la libre disposition de leurs biens, si l'administration priée d'acquérir ne donne pas suite : le titulaire du droit de préemption ne peut plus l'exercer à son égard pendant 5 ans. Le refus d'acquérir a les mêmes **effets** que la renonciation.

Le propriétaire d'un bien sur le point d'être préempté est tenu d'en **informer les locataires, preneurs ou occupants de bonne foi.**

B. Droit de rétrocession

Les biens acquis par exercice du droit de préemption doivent être utilisés en vue de la réalisation des objectifs annoncés.

Si le titulaire du droit de préemption décide d'une autre affectation moins de **5 ans** après la préemption, l'ancien propriétaire doit se voir proposer en priorité la rétrocession du bien.

C. Suites d'une annulation contentieuse

Lorsque la décision de préempter a été annulée par le juge administratif et qu'il n'y a pas eu transfert de propriété, le titulaire ne peut à nouveau exercer son droit de préemption sur le bien pendant un délai d'un an.

Dans ce délai, le propriétaire n'est pas tenu par les prix et conditions mentionnés dans la DIA.

L'illégalité d'une décision de préemption peut entraîner la responsabilité de la commune : CE 14 juin 1999, « *Commune de Montreuil-sous-Bois* ».

> Chapitre III
Les réserves foncières

> Section 1
Notion

Pratiquée depuis fort longtemps à **l'étranger** : Allemagne, Pays-Bas, Suisse, Scandinavie notamment (cf. la ville de Stockholm est propriétaire de 70 % de son territoire communal) la politique des réserves foncières est **récente** en France.

Parmi les diverses **fonctions** remplies par les acquisitions foncières publiques : lutte contre la spéculation par l'institution de ZAD, protection de l'environnement, opération spécifique d'aménagement, les réserves foncières occupent une place à part. Il s'agit **d'acquérir des biens destinés à des opérations d'aménagement non encore prévues de façon précise.** C'est une politique du moyen ou long terme, une **anticipation** sur l'urbanisation future, la possibilité de **stocker** des terrains acquis à un prix raisonnable et qui seront immédiatement disponibles lorsque la collectivité prendra la décision de les aménager.

La mise en réserve des terrains permet aussi de peser sur les **prix** en les remettant sur le marché foncier au moment estimé le plus stratégique.

Apparu dans **la LOF du 30 décembre 1967**, ce système vit son champ d'application étendu par **les lois des 31 décembre 1976, 18 juillet 1985 et 13 juillet 1991**.

> Section 2
Buts et bénéficiaires (art. L. 221-1)

Les réserves foncières peuvent être constituées en vue de permettre la réalisation d'une opération d'aménagement répondant aux vastes objectifs retenus à l'article L. 300-1. Il doit s'agir d'un **aménagement global** non d'une action ponctuelle. La loi du 13 juillet 1991 distingue plus nettement la mise en réserve des terrains et l'aménagement.

La jurisprudence contrôle l'utilisation de cette procédure. Ainsi, la préemption pour la constitution de réserves foncières sera illégale si la réserve ne correspond pas à l'un des objectifs énumérés par la loi : CE 2 mars 1992, « *Ville d'Annemasse* » (précité).

Les ZAD aux fins de réserves foncières peuvent se voir annulées pour erreur manifeste d'appréciation si la réserve excède les besoins de la commune : CE 14 mars 1986, « *Moreliéras* ». L'application du bilan coût-avantages sera faite à une DUP en vue d'acquisitions foncières pour constituer des réserves : CE 31 janvier 1986 : « *Lansac* » : les inconvénients de la suppression d'espaces verts et de l'amputation du parc d'un château classé l'emportent sur les avantages tirés de l'extension d'une réserve pour l'aménagement ultérieur d'une zone industrielle.

Les **personnes publiques** habilitées à acquérir des terrains destinés à constituer des réserves foncières sont **limitativement** énumérées : État, collectivités locales, syndicats mixtes, EP d'aménagement. Depuis 1991, de nouvelles structures : **les EP fonciers locaux** ont été mis au service des communes pour réaliser pour leur compte ou pour celui de l'État les acquisitions en vue de la constitution de « réserves foncières ». Institution décentralisée, intercommunale, les EP fonciers disposent par délégation des droits de préemption et d'expropriation et de moyens financiers importants. La loi SRU incite les EPCI, notamment les communautés d'agglomération, à créer de tels établissements.

> Section 3

Modes d'acquisition et financement

Les terrains mis en réserve sont acquis soit à l'amiable, soit de manière coercitive par voie de préemption (**art. L. 210-1**) ou d'expropriation.

La liberté d'action communale s'est accrue en 1983 avec **la banalisation des prêts destinés à financer la constitution de réserves.** Les collectivités locales peuvent désormais s'adresser à n'importe quel établissement de crédit et dans les conditions du droit commun. Une part importante du financement est assurée par le **Crédit local de France**.

L'assouplissement et la diversification des emprunts est une incitation pour les collectivités locales à **affecter et utiliser assez rapidement** les terrains afin de faire face aux échéances de la dette.

Des moyens financiers ont été prévus pour soutenir l'action des **EP fonciers** : taxe spéciale d'équipement, participation à la diversité de l'habitat, contribution financière des communes, exonérations fiscales, conçus en outre comme des incitations faites aux communes pour qu'elles se dotent d'un programme local de l'habitat.

> Section 4

« Gestion en bon père de famille »

Cette expression, qui figure à l'article **L. 221-2**, précède des dispositions complexes quant à l'utilisation ultérieure des biens préemptés.

« Avant leur utilisation définitive », les biens mis en réserve ne peuvent être cédés en pleine propriété qu'à des personnes publiques ou faire l'objet de concession temporaire ne conférant aucun droit au renouvellement ou au maintien dans les lieux.

Lorsqu'est décidée leur **utilisation définitive**, les terrains peuvent **rester dans le patrimoine des collectivités publiques**. Ils peuvent aussi être **revendus ou simplement concédés à des constructeurs privés**, les collectivités publiques n'étant intervenues que comme intermédiaires pour libérer les sols.

La **concession d'usage des sols** permet aux collectivités publiques, qui retrouveront la pleine propriété des sols à la fin de la concession, de conserver la maîtrise des terrains après les avoir équipés. Cette formule rencontre davantage de succès pour des aménagements collectifs qu'auprès des constructeurs individuels attachés à la propriété du sol.

Les collectivités publiques peuvent recourir à **divers types de contrats pour concéder l'usage des sols** qu'elles ont mis en réserve : bail de droit commun, bail emphytéotique, concession immobilière ou **bail à construction**, formule la plus usuelle, par lequel le preneur s'engage à titre principal à « édifier les constructions sur le terrain du bailleur et à les conserver en bon état d'entretien pendant toute la durée du bail », laquelle peut aller de 18 à 99 ans (art. L. 251-1, Code construction).

Selon la Cour européenne des droits de l'homme, le mécanisme des réserves foncières ne constitue pas une atteinte au droit de propriété, sauf si il en était résulté une plus-value appréciable dont le propriétaire serait privé : CEDH 2 juillet 2002 « *Motais c/France* ».

Le financement des équipements publics

Les terrains étant disponibles, il convient de les équiper pour les rendre « **viables** ». Les équipements publics : voirie, eau, assainissement, gaz, électricité… sont coûteux. Lorsqu'ils sont équipés, **les terrains en retirent une plus-value certaine**. Le problème se pose donc de savoir sur qui faire porter la charge du financement de ces équipements. Faute d'être parvenus à mettre au point une taxation des propriétaires de terrains, mesure impopulaire et non immédiatement liée aux opérations d'aménagement, les pouvoirs publics ont imaginé **diverses contributions** dont ils ont fait surtout peser la charge sur les **constructeurs**, inventaire à la Prévert, qu'il n'est pas aisé de dresser en dépit de la classification tentée par la loi du 18 juillet 1985 et de la simplification voulue par la loi SRU.

> Chapitre 1

La charge du financement

Trois hypothèses peuvent être envisagées.

> Section 1

Le financement par les propriétaires des terrains

Ce n'est que s'il entreprend une **opération d'aménagement** que le propriétaire sera contraint, en tant que constructeur, de participer au financement des équipements. Dans l'hypothèse d'une cession de son terrain il subira l'imposition de droit commun des taxations des plus-values foncières.

Contrairement à certaines expériences **étrangères** : Suisse, Allemagne, Espagne, Belgique, **les projets français de taxation des terrains constructibles ou destinés à l'urbanisation ont échoué.**

> Section 2

Le financement par les budgets publics

Le financement par le fiscalité générale a prévalu en France au lendemain de la Seconde Guerre mondiale lorsqu'il fallut reconstruire en urgence un pays sinistré. L'aménagement ne pouvant être pris en charge par les constructeurs, il fut financé essentiellement par l'État sur son **budget général**.

L'urbanisme et le logement, qui représentaient 3 % des dépenses de l'État avant-guerre puis 11 % en 1950, retrouvèrent ensuite un taux d'environ 4 %.

Ce mode de financement a l'**inconvénient** de transférer la charge de l'aménagement des constructeurs bénéficiaires vers l'universalité des contribuables. De surcroît, il s'adapte mal à un urbanisme décentralisé, les besoins d'aménagement étant différents selon les communes.

Le financement par les budgets publics conserve néanmoins une **place importante**. Le logement social continue d'être financé à 90 % par l'État, lequel participe, de surcroît, à de nombreux financements croisés, suite à la conclusion de contrats avec les collectivités locales autour d'objectifs communs.

En 1977, un premier système d'incitation financière par des subventions forfaitaires de l'État destinées à certaines **opérations en particulier celles programmées d'amélioration de l'habitat (OPAH)** avait été mis au point avec la création d'un Fonds d'aménagement urbain **(FAU)**, lequel ne disposait pas de fonds propres mais servait de centre de coordination et de relais aux subventions accordées par les différents ministères.

Le FAU a été supprimé en 1984 mais les objectifs qu'il poursuivait d'amélioration des quartiers anciens, et de lutte contre la ségrégation sociale demeurent et sont désormais poursuivis par le **Comité interministériel des villes (CIV)**, le **Conseil national des villes** et un **Fonds social urbain (FSU)**.

Celui-ci dispose de fonds propres qui servent à financer soit des **programmes locaux de l'habitat (PLH)** à partir de diverses **conventions** conclues entre l'État et les communes : cf. conventions de quartiers, conventions ville-habitat, contrats de ville, soit des **programmes de solidarité et d'innovation** concernant l'insertion des immigrés, des nomades, la prévention de la délinquance, la lutte contre l'insalubrité.

La part du financement est variable : en général 30 % vont aux études et 70 % aux opérations proprement dites. La ligne budgétaire « action foncière et aménagement urbain » était de 85 millions de francs en 2002.

> Section 3
Le financement par les constructeurs et les bénéficiaires de l'aménagement

Cette troisième hypothèse encourage **l'autofinancement** de l'opération d'aménagement par ses bénéficiaires. L'attraction des capitaux privés vers le financement de l'aménagement permet un meilleur ajustement des choix d'urbanisme à la demande du marché. Les finances publiques et les contribuables échappent aux prélèvements et ce mode de financement convient à la décentralisation de l'aménagement, même si son principal **inconvénient** est de négliger les opérations d'aménagement non rentables.

Le recours aux mécanismes de financement par les aménageurs et les constructeurs a désormais la préférence du droit français. À la négociation libre – et souvent arbitraire – de la participation entre l'administration et le constructeur a succédé en 1967 une fiscalisation des contributions financières : création de la **taxe locale d'équipement** (TLE) dont le régime était fixé par la loi.

Outre la TLE, au rendement insuffisant, ont été prévues des **participations** contractuellement négociées dans le cadre des ZAC et des participations additionnelles à la TLE dont le régime fut remanié – dans le cadre d'une remise en ordre bien nécessaire en égard au comportement des communes – par la loi du 18 juillet 1985.

La **loi SRU** apporte des changements importants en supprimant certaines contributions et en créant d'autres. Mais les principes généraux subsistent : financement de l'aménagement supporté en grande partie par les constructeurs, financement qui se fait en principe par la fiscalité (TLE) et, au-delà, par des participations strictement limitées.

> Chapitre II

LES TAXES ET LES PARTICIPATIONS DES CONSTRUCTEURS AU FINANCEMENT DE L'AMÉNAGEMENT

L'article **L. 332-6** laisse aux collectivités locales la liberté de **choisir** entre deux modes principaux de financement des équipements publics : la **TLE** ou la **participation dans les secteurs d'aménagement**. La faculté d'opter pour une **ZAC** et pour son propre système de financement subsiste.

Certaines participations **additionnelles** à la TLE peuvent être exigées dont la liste est **limitative**. Leur cumul dépend de l'option précédente. « Eu égard au caractère d'ordre public des dispositions de l'article L. 332-6 toute stipulation contractuelle qui y dérogerait serait entachée de nullité » : **CE 4 février 2000, « EPAD »**.

> Section 1

La taxe locale d'équipement (TLE)

Instituée par la LOF de 1967, modifiée en 1971 et 1985, c'est une taxe de nature fiscale dont le régime est fixé par le Code général des impôts (art. 1585 A).

§1 Champ d'application

A. En ce qui concerne les communes

C'est une taxe décentralisée instituée de **plein droit** dans les communes de plus de 10 000 habitants qui peuvent cependant y renoncer par délibération du conseil municipal.

Elle peut être **facultativement** instituée dans les autres communes.

B. En ce qui concerne les travaux

Elle est applicable aux « **opérations de construction, de reconstruction et d'agrandissement des bâtiments de toute nature** ».

Certains cas **d'exonération** sont prévus qui concernent, en particulier, les constructions publiques et, sur décision du conseil municipal, les constructions à usage d'habitation édifiées par les HLM et les SEM d'aménagement, les bâtiments à usage agricole, les constructions édifiées dans les lotissements et les ZAC qui ont un système propre de contributions.

§2 Calcul

La taxe correspond au financement des dépenses d'équipement supplémentaire occasionnées par la réalisation de la construction.

Dans le **système antérieur**, la TLE souffrait d'une grande **inélasticité**. Elle n'était réactualisée qu'irrégulièrement et dans un contexte le plus souvent inflationniste. Sa rentabilité était décroissante et les collectivités étaient tentées de recourir à diverses stratégies de contournement : le produit de la TLE représentait à peine un quart des ressources spécifiques de l'urbanisation.

La **réforme de 1985**, pour rendre plus attractive et rentable cette taxation, l'a assortie d'une **réévaluation** annuelle.

La TLE est payée **sur trois ans**, en deux fractions égales de 18 mois après l'autorisation de construire.

Elle est calculée sur la base de la **valeur forfaitaire** des terrains nécessaires à la construction des bâtiments qui font l'objet de l'autorisation, valeur déterminée en multipliant la surface de plancher (SHON) par une valeur forfaitaire au m² fixée par décret. Le taux varie dans une fourchette de 1 % à 5 % par délibération du conseil municipal. Le recouvrement se fait, en principe, en deux fractions égales 18 et 36 mois après la délivrance de l'autorisation.

§3 CRITIQUES

La principale repose sur la **faible rentabilité de la taxe**, dont le produit se révèle très inférieur au coût des équipements nécessaires. De surcroît, le caractère forfaitaire de l'évaluation conduit à des résultats souvent artificiels. C'est pourquoi d'autres systèmes, reposant sur des participations différenciées et non sur une taxe uniforme, ont été mis au point.

> SECTION 2

La participation forfaitaire en secteur d'aménagement programmé

§1 CHAMP D'APPLICATION

Le législateur de 1985 a tenu compte de la préférence marquée de nombreuses communes pour des ressources mieux adaptées à l'effort exceptionnel d'équipement impliqué par certaines opérations d'aménagement.

L'article **L. 332-9** définit des secteurs où un « **programme d'aménagement d'ensemble** » (PAE) a été approuvé par le conseil municipal et où peut être mis à la charge des bénéficiaires d'autorisations d'urbanisme « **tout ou partie du coût des équipements publics réalisés dans l'intérêt principal des usagers des constructions à édifier dans le secteur concerné** ».

Le champ d'application est très ouvert. Le système semble répondre tout particulièrement à l'évolution du régime des zones à urbaniser ou à l'aménagement de secteurs anciens réaménagés selon la politique dite des projets de quartier.

§2 CALCUL

Le PAE détermine la part des dépenses de réalisation des équipements qui sera mise à la charge de ceux qui construiront dans le secteur d'aménagement.

La participation est exigée sous forme de **contribution financière** ou, avec l'accord du constructeur sous forme **d'exécution de travaux ou d'apports de terrains** (art. L. 332-10).

Le régime de la participation peut être **révisé** par le conseil municipal lorsque le programme d'aménagement d'ensemble fait l'objet d'une modification substantielle. En cas de non-réalisation des équipements programmés, une procédure de **restitution** des sommes versées par les constructeurs est prévue, garantie indispensable contre l'inertie des collectivités locales.

En dépit du caractère complexe du système, celui-ci est apprécié par les communes qui peuvent prévoir des participations plus élevées et mieux modulées que les taxes d'urbanisme de droit commun.

> ## Section 3
Le financement propre aux ZAC

Une troisième option est ouverte aux collectivités locales. En recourant à la **procédure de ZAC** elles ont la possibilité de déroger au droit commun de la TLE.

Le dossier de création de la zone peut lui substituer un régime de participations financières négociées et précisées dans un véritable contrat par lequel l'aménageur ou les constructeurs assument le coût des équipements essentiels. Les participations peuvent être versées aux collectivités publiques qui assureront la maîtrise d'ouvrage des équipements à réaliser. La convention d'aménagement peut aussi prévoir que les aménageurs réaliseront eux-mêmes les équipements publics qu'ils remettront ensuite, en toute propriété, aux collectivités publiques.

Pour éviter les **excès**, il a été précisé que les participations exigées des constructeurs ne peuvent concerner que le coût des équipements publics destinés à répondre « **aux besoins des futurs habitants ou usagers des constructions à édifier dans la zone** » (art. L. 311-4).

Par ailleurs, lorsque la capacité des équipements programmés excède les besoins de l'opération, seule la fraction du coût proportionnelle à ces besoins peut être mise à la charge des constructeurs.

> ## Section 4
Les participations additionnelles

Le faible rendement de la TLE a conduit le législateur à prévoir des **participations financières additionnelles**. Pour éviter que les communes soient tentées d'abuser de cette possibilité, la loi de 1985 a posé le principe que ne peuvent être exigées que les participations prévues au code de l'urbanisme. Tout autre contribution, même pour un service rendu, qui serait instituée par les collectivités locales serait illégale. La jurisprudence se montre stricte à cet égard.

L'article **L. 332-6**, afin de **réorganiser** les participations spécifiques et de mettre fin à leur prolifération désordonnée, distingue les contributions aux dépenses d'équipements **destinées à l'ensemble des habitants de la commune (art. L. 332-6-1)** et la réalisation des **équipements à caractère privé destinés aux bénéficiaires d'autorisations d'occuper ou d'utiliser le sol (art. L. 332-15)**.

La liste est limitative. Les contributions et taxes obtenues ou imposées en violation de ces règles sont réputées sans cause ouvrant l'exercice d'une action en répétition prescrite par cinq ans.

§1 Contributions aux dépenses d'équipements publics
(art. L. 332-6-1)

En dehors du régime spécifique de participation des riverains en Alsace-Lorraine, deux catégories peuvent être distinguées selon que les contributions ont ou non une **nature fiscale** et selon les participations avec lesquelles elles sont cumulables.

A. Contributions des constructeurs ayant une nature fiscale

Elles sont cumulables avec la TLE et la participation dans les secteurs d'aménagement.

1. La suppression de la participation pour dépassement du COS et du versement pour dépassement du PLD

Présentés comme des **instruments de gestion de la densité** des constructions par rapport à la surface des terrains et comme des compensations financières de la surdensité, ces deux impôts, dont le rendement était faible, ont contribué selon leurs détracteurs à figer la ville et à empêcher la réalisation d'opérations souhaitables.

La **participation pour dépassement de COS** avait été instituée en 1967. Qualifiée de « taxe de surdensité » elle était égale au coût estimé de la surface supplémentaire de terrain qu'il eût été nécessaire d'acquérir au même endroit pour construire les m^2 supplémentaires sans dérogation.

La loi SRU supprime cette taxe.

Le **versement pour dépassement du plafond légal de densité** (PLD) avait été institué en 1975, dans le but ambitieux de réduire les inégalités entre les propriétaires : on alla jusqu'à évoquer une socialisation partielle du droit de construire.

Les résultats ne furent pas à la hauteur de ces ambitions et le principal effet de cette contribution fut le renchérissement du coût des terrains à bâtir. Le rendement était, par ailleurs, dérisoire : moins de 300 millions, perçus pour 90 % dans une dizaine de communes d'Île-de-France.

La loi SRU supprime cette taxe.

2. Participations à certaines actions de protection de l'environnement

Elles sont de la compétence du département et sont cumulables soit avec la TLE, soit avec la participation en secteur d'aménagement.

a) Taxe départementale des espaces naturels sensibles

Elle peut, par délibération du conseil général, être instituée pour mettre en œuvre une politique de préservation de la qualité des sites, des paysages et des milieux naturels **(art. L. 142-2).**

Perçue sur la **totalité** du territoire départemental, elle est établie sur la construction, la reconstruction et l'agrandissement des bâtiments. Elle est soumise aux règles gouvernant la liquidation et le recouvrement de la TLE.

Le produit de la taxe, originairement réservé aux **acquisitions foncières**, peut financer aussi désormais des dépenses d'**entretien** ou de protection des espaces ouverts au public et peut être affecté à des acquisitions foncières indirectes par l'intermédiaire du Conservatoire de l'espace littoral ainsi qu'à l'acquisition et l'entretien des chemins le long des cours d'eau (cf. *supra*).

b) Participation au financement des conseils d'architecture, d'urbanisme et d'environnement (CAUE)

Le financement des CAUE a été mis à la charge des départements et assuré grâce à une **taxe spéciale** créée en 1981 (art. 1599 B, Code général des impôts) dont le taux est fixé par **le conseil général**.

Le rendement de la taxe varie selon le potentiel des départements : 915 000 € pour les Bouches-du-Rhône et 53 000 € en Lozère. Une péréquation est parfois souhaitée.

3. La redevance pour création de bureaux et locaux de recherche en région Île-de-France (art. L. 520-1 à L. 520-11)

Afin de maîtriser l'implantation des administrations et des entreprises en région parisienne et de faciliter les installations en province, une procédure d'**agrément** fut mise au point en 1958 modifiée par la loi du **4 février 1995** (**D. 9 mai 1995**). Un comité de décentralisation donne son avis au ministre sur les demandes d'agrément des entreprises privées et accorde l'agrément pour les entreprises relevant des personnes publiques. L'article L. 510-1-II donne la possibilité aux communes et aux EPCI de contractualiser avec le préfet les objectifs et les moyens de leur mise en œuvre.

L'**agrément**, qui doit être obtenu préalablement au permis de construire, est exigé pour **toute opération de construction, réhabilitation, extension de locaux situés en Île-de-France servant à des activités industrielles, commerciales, administratives, techniques, scientifiques ou d'enseignement**. Il est aussi requis à l'occasion des **changements** d'utilisateurs ou d'utilisation des locaux. De nombreuses exceptions sont prévues.

L'agrément peut n'être accordé que **sous condition** et à titre seulement **précaire**.

Dispositif mis en place en 1960, la **redevance** est exigible lors de la **création** en Île-de-France de locaux à usage de bureaux et de recherche. Diverses **exonérations** ont été prévues (cf. pour les bureaux, faisant partie d'un local principal d'habitation ou utilisés par des locaux de recherche dans les établissements industriels…).

La redevance est **calculée** sur la surface utile de plancher construite ou transformée, le fait générateur étant la délivrance du permis de construire. Son produit est **affecté** au budget d'équipement de la région d'Île-de-France, **en vue du financement des infrastructures routières et d'équipements nécessaires au desserrement d'activités industrielles ou tertiaires**.

B. Participations additionnelles de nature non fiscale

Ces participations sont strictement limitées (art. L. 332-6 et L. 332-6-1) et on peut distinguer deux types de contributions :

1. Contributions en espèces

Quatres seront retenues.

a) Participation pour raccordement à l'égout
(art. L. 35-4 Code santé publique)

La commune peut l'exiger du **propriétaire** d'un immeuble raccordé aux dépendances de la voie communale.

b) Participation pour non réalisation de parcs publics de stationnement (art. L. 421-3)

Elle est exigible lorsque le constructeur ne peut réaliser lui-même les **aires de stationnement** nécessitées par le POS, ni obtenir une concession à long terme dans un parc public de stationnement existant ou en cours de réalisation. La loi SRU permet aussi l'acquisition de places dans un **parc privé** de stationnement.

Le montant de la participation par place manquante est porté de 7 600 à 12 000 € par la loi.

c) Participations pour voirie et réseaux
(art. L. 332-11-1)

C'est un nouveau dispositif mis au point par la **loi SRU** et inspiré du régime existant en Alsace-Lorraine et dans les pays de tradition germaniques.

Il s'agit de faire participer les **propriétaires riverains** au financement de tout ou partie des voies et des infrastructures (réseaux) réalisés pour permettre l'implantation des nouvelles constructions.

La participation est instituée par le conseil municipal. Elle n'est pas due lorsqu'il y a ZAC ou PAE. Elle peut être utilisée pour l'aménagement de voies et réseaux nouveaux ou déjà existants.

L'originalité du système est que le débiteur est le propriétaire foncier constructeur, non le constructeur.

d) Redevance d'archéologie préventive

Elle est imposée au bénéficiaire de l'autorisation de construire par la **loi du 7 juillet 2001** relative à l'archéologie préventive.

2. CESSIONS GRATUITES DE TERRAIN

Ces terrains sont destinés à être affectés à certains usages publics au profit, en particulier, de la **voirie** : création de voies nouvelles ou élargissement des voies existantes.

– Les cessions ne peuvent excéder **10 %** de la surface du terrain sur laquelle la construction doit être édifiée.

– Elles ne peuvent être exigées qu'en cas de réalisation de **surfaces nouvelles**.

§2 ÉQUIPEMENTS PROPRES À CARACTÈRE PRIVÉ (art. L. 332-15)

La loi du 18 juillet 1985 en a dressé la liste, semble-t-il non limitative.

Il s'agit notamment de la **voirie, de l'alimentation en eau, gaz, électricité, des réseaux de télécommunication, de l'évacuation et du traitement des eaux et matières usées, de l'éclairage des aires de stationnement, des espaces collectifs, des aires de jeu et des espaces plantés**.

Équipements **à caractère privé**, leur réalisation incombe au constructeur ou à l'aménageur et peut « en tant que de besoin leur être imposée lors de la délivrance des autorisations ».

La **frontière** entre équipements publics et privés n'est pas toujours facile à tracer. Le contentieux sur la notion d'équipement public est abondant car les collectivités locales ont parfois tendance à réclamer des constructeurs, en jouant de cette confusion, une double participation.

N'ont pas été considérés comme « équipements propres » des travaux de viabilité sur une voie longeant un lotissement mais affectée à la circulation générale : CE 18 mars 1983, « *Plunian* ».

> CHAPITRE III

AUTONOMIE COMMUNALE ET GARANTIES DES CONSTRUCTEURS

Les effets de la décentralisation se sont étendus aux mécanismes de financement de l'aménagement, lesquels étaient traditionnellement très encadrés. Les communes disposent désormais **d'un large pouvoir d'appréciation**.

> SECTION 1

La liberté d'appréciation des communes

L'aménagement ayant été décentralisé au profit des communes, celles-ci disposent d'une grande liberté d'appréciation quant au **choix et à la modulation des taxes et participations**. Étant entendu que peut être mis à la charge des constructeurs « **tout ou partie** du coût des équipements publics réalisés **pour répondre aux besoins des futurs habitants** et usagers des constructions à édifier dans le secteur concerné ». (cf. *infra*), les organes délibérants des communes et des EPCI peuvent choisir les modalités des contributions financières exigées des constructeurs et des aménageurs : TLE, participations et financement « **en tout ou partie** ».

Le conseil municipal peut **réviser** le régime des participations « lorsque le programme d'aménagement d'ensemble fait l'objet d'une **modification substantielle** » (**art. L. 332-11**), notion elle-même fuyante laissant de larges possibilités d'appréciation aux élus municipaux.

Les communes disposent aussi d'une certaine liberté quant à l'**affectation du produit** de la contribution financière lorsqu'il y a TLE.

Hormis l'exigence que le produit de la **TLE** soit inscrit à la section investissement du budget municipal, **aucune affectation précise** n'est requise et le choix de l'utilisation de cette taxe est à la **discrétion** des communes.

Par contre, les **participations**, notamment celle exigée dans les secteurs d'aménagement, font l'objet d'affectations précises.

S'agissant de la participation ZAC, la loi SRU insiste sur le caractère contractuel de la participation des constructeurs, précisant qu'une convention conclue entre la commune ou l'EPCI et le constructeur « **précise les conditions dans lesquelles celui-ci participe au coût d'équipement de la zone** » art. L 311-4 nouveau).

SECTION 2

Les garanties accordées aux constructeurs

Elles sont de portée diverse.

L'action en répétition, fondée sur la notion **d'enrichissement sans cause** permet aux constructeurs d'obtenir la restitution des participations irrégulièrement perçues. Elle s'applique, depuis 1985, à toutes les taxes et participations. Elle se prescrit par un délai de 5 ans à partir du dernier versement litigieux (**art. L. 332-30**).

L'article **L. 332-7** a mis un terme aux difficultés contentieuses nées du principe d'**indivisibilité du permis** de construire qui conduisait le juge administratif à estimer que l'illégalité d'une disposition du permis imposant indûment une participation financière, entraînait l'annulation de l'ensemble du permis.

Désormais cette illégalité **est sans effet sur la légalité des autres dispositions** de l'autorisation de construire et l'autorité administrative peut, par une décision distincte, à caractère exclusivement financier, régulariser la contribution aux dépenses d'équipements publics. Voir CE 13 novembre 1981, « *Plunian* » précité et CE 12 février 1988, « *Soc. automobiles Citroën* ».

L'action en restitution donne aux constructeurs des garanties contre l'inertie des collectivités locales. Elle leur permet, lorsque les équipements publics annoncés n'ont pas été réalisés dans le délai prévu, de demander la restitution totale ou partielle de leur apport (art. **L 332-11**).

La restitution est aussi prévue par la loi SRU lorsque les voies et réseaux n'ont pas été réalisés dans les délais fixés par la convention, s'agissant de la nouvelle participation prévue à l'art **L 332-11-1** (cf. *supra*).

Titre III
L'aménagement

Le droit de l'urbanisme opérationnel est resté longtemps ébauché, dispersé, sans cohérence.

Après la Seconde Guerre mondiale, les illusions du « **fonctionnalisme** », ont conduit à la pseudo rationalité d'un cloisonnement rigide de l'espace et donné des résultats décevants.

La sécurité d'un encadrement juridique n'était guère recherchée et l'aménagement resta longtemps le domaine d'élection des **circulaires** et de la confusion dans la hiérarchie des sources du droit.

La **loi du 18 juillet 1985** relative à la définition et à la mise en œuvre des principes de l'aménagement, **décentralise**, tente de donner une certaine **cohérence** à l'urbanisme opérationnel et dégage un concept fédérateur substantiel nouveau : **l'opération d'aménagement**.

Les principales opérations d'aménagement : **lotissements, réhabilitation des quartiers anciens, zones d'aménagement concerté**, procédures déjà éprouvées par la pratique, se glissèrent sans difficulté dans ce système, au demeurant accueillant, dont le succès, non exempt de risques, s'explique en partie par la collaboration de règles et de partenaires publics et privés.

> Chapitre I
Le concept d'aménagement

> Section 1
Définition

Elle résulte des dispositions de l'article L 300-1 et de la jurisprudence. L'**art. L. 300-1, al. 2** donne pour la première fois une définition de l'aménagement. « **L'aménagement désigne l'ensemble des actes des collectivités locales ou des établissements publics de coopération intercommunale qui visent, dans le cadre de leurs compétences, d'une part, à conduire ou à autoriser des actions ou des opérations... et d'autre part, à assurer l'harmonisation de ces actions ou de ces opérations.** »

> Section 2
Finalités

L'objet des actions ou opérations d'aménagement est de « **mettre en œuvre une politique locale de l'habitat, d'organiser le maintien, l'extension ou l'accueil des activités économiques, de favoriser le développement des loisirs et du tourisme, de réaliser des équipements collectifs, de lutter contre l'insalubrité, de permettre le renouvellement urbain, de sauvegarder ou de mettre en valeur le patrimoine bâti ou non bâti et les espaces naturels** » (art. L. 300-1, al. 1).

Larges et adaptables ces objectifs sont néanmoins limitatifs. Les collectivités publiques qui utiliseraient leurs prérogatives de puissance publique à d'autres fins (cf. un mobile principalement financier) pourraient voir leurs décisions frappées d'illégalité par le juge administratif.

> Section 3
Principes généraux

§1 La concertation et le débat

L'article **L. 300-2** rend obligatoire, pendant toute la durée d'élaboration soit d'un projet d'aménagement modifiant de façon substantielle le cadre de vie de la commune ou son activité économique, soit d'un projet de création de ZAC, soit depuis la loi SRU, d'un projet de SCOT ou de PLU, une **concertation préalable**. Organisée par le conseil municipal elle doit **associer** à la définition du projet « **les habitants, les associations locales et les autres personnes concernées** ». L'absence (mais non l'insuffisance) de la concertation peut entraîner l'illégalité des autorisations d'occupation du sol. Le maire en présente le bilan devant le conseil municipal qui en délibère. En l'absence de définition des modalités de la concertation celle-ci reste livrée à la libre appréciation des communes ou de l'EPCI. La loi SRU prévoit, en outre, qu'un débat aura lieu au sein de l'organe délibérant de l'EPCI ou au sein du conseil municipal sur les orientations générales du projet d'aménagement 4 mois avant l'examen du projet de SCOT (art. L. 122-8) ou du projet de PLU (art. L. 123-9). Une procédure unique est possible s'il y a en même temps élaboration d'un document d'urbanisme et projet d'aménagement.

§2 Le choix des opérateurs (art. L. 300-4)

L'État et les collectivités locales ou leurs EP peuvent confier l'étude et la réalisation des opérations d'aménagement à **toute personne publique ou privée y ayant vocation (art. L. 300-4)**.

Les conventions passées avec un établissement public ou une SEM à capitaux publics majoritaires ne peuvent plus prendre la forme de **concessions d'aménagement** depuis la loi SRU. Elles peuvent prendre la forme d'une **convention publique d'aménagement**. Dans ce cas l'organisme contractant peut se voir confier les acquisitions par voie d'expropriation ou de préemption. Les conventions publiques d'aménagement échappent aux dispositions de mise en concurrence de la loi du 29 janvier 1993.

§3 Les obligations de l'aménageur (art. L. 300-5)

Dispositions nouvelles, issues de la loi SRU, elles insistent sur le contenu de la **convention publique d'aménagement** et sur le contrôle exercé par la personne publique contractante.

À peine de nullité, la convention doit préciser : les modalités de la participation financière, son montant total et, s'il y a lieu, sa répartition en tranches annuelles, les modalités du contrôle technique, financier et comptable exercé par la collectivité ou le groupement contractant.

Chaque année, un bilan prévisionnel actualisé des activités, objet de la convention, est présenté ainsi qu'un plan de trésorerie faisant apparaître l'échéancier des recettes et des dépenses de l'opération, et un tableau des acquisitions et cessions immobilières.

L'organe délibérant de la collectivité publique contractante contrôle l'exactitude de ces documents et se prononce ensuite par un vote. Toute révision de la participation financière doit faire l'objet d'un avenant à la convention approuvé par l'assemblée délibérante (**art. L. 300-5** nouveau).

> Chapitre II

Les lotissements

Le lotissement est l'opération de **division d'une propriété foncière d'un seul tenant en plusieurs parcelles destinées à accueillir des constructions.**

Activité purement **privée à l'origine**, elle s'est **publicisée** lorsque s'est fait sentir la nécessité de contrôler l'implantation désordonnée des constructions et la médiocrité des équipements. Il s'agissait de garantir les « mal lotis ».

Le lotissement n'a jamais eu les honneurs d'une grande loi qui lui soit spécifique. Si les premiers textes qui en traitent sont d'origine législative : **loi de 1919, 1924 et 1943**, ils ont pour objet la réglementation d'urbanisme générale et ne consacrent que quelques articles au lotissement. Il en est de même pour **la loi du 31 décembre 1976** et pour celle du **7 janvier 1983** qui décentralise le régime (cf. **art. L. 315-1** et suiv., **L. 316-1** et suiv., **L. 317-1** et suiv.). La plupart des dispositions sur le champ d'application, les procédures de réalisation, de gestion et de modification sont donc **d'origine réglementaire**, en particulier le **décret du 26 juillet 1977**.

> Section 1

Champ d'application

§1 Divisions soumises à autorisation de lotir

A. Définition

Aux termes de l'article **R. 315-1** : « **Constitue un lotissement... toute division d'une propriété foncière en vue de l'implantation de bâtiments qui a pour objet ou qui, sur une période de moins de dix ans, a eu pour effet de porter à plus de deux le nombre des terrains issus de ladite propriété...** » Ces dispositions s'appliquent « **notamment aux divisions en propriété ou en jouissance résultant de mutations à titre gratuit ou onéreux, de partage ou de locations, à l'exclusion toutefois des divisions résultant de partages successoraux ou d'actes assimilés lorsque ces actes n'ont pas pour effet de porter à plus de quatre le nombre des terrains issus de la propriété concernée.** »

B. Éléments constitutifs

Doivent intervenir conjointement :
– une **unité foncière**, tènement unique, appartenant à une même personne physique : c'est le support de la division ;
– l'implantation de **bâtiments** : c'est l'objet de la division ;
– un délai de **dix ans.** Il faut que les divisions, soit simultanées, soit successives, aient été effectuées sur une période de moins de dix ans. Au-delà les terrains sont « régénérés » ;
– une **division du sol** volontaire ou non, à titre onéreux ou gratuit, en propriété ou en jouissance, ce qui permet d'assujettir à la réglementation des lotissements les « **copropriétés horizontales** », système où les titulaires de lots ont la jouissance indivise du sol et la propriété exclusive des constructions édifiées sur leur lot ;
– un **nombre de terrains** issus de la division **dépassant le seuil de 2** (divisions volontaires, cf. : vente) **ou 4** (partages successoraux et actes assimilés).

Une autorisation de lotir peut être demandée pour le seul 3ᵉ ou 5ᵉ lot, parcelle unique qualifiée lotissement « **unilot** » (**art. R. 315-4, 4 °**).

§2 DIVISIONS NON SOUMISES À AUTORISATION DE LOTIR

A. Exceptions de l'article R. 315-2

Leur sort particulier s'explique par leur soumission à **d'autres procédures de contrôle** avec lesquelles l'autorisation de lotir ferait double emploi.

Il s'agit **des divisions effectuées dans le cadre d'une opération de remembrement et dans les zones d'urbanisme opérationnel** (ZAC, restauration immobilière…), des **divisions de terrains lorsqu'il y a maître d'ouvrage unique** (cf. ventes à terme ou en l'état futur d'achèvement) et des divisions « **primaires** » effectuées par un propriétaire au profit de personnes qu'il a habilitées à réaliser une opération immobilière sur une partie de sa propriété et qui ont déjà obtenu une autorisation de lotir ou un permis de construire un groupe de bâtiments ou un bâtiment comportant plusieurs logements.

B. Autres divisions foncières

Il s'agit :

– du contrôle des divisions de **faible importance** (au-dessous du seuil) qui ne sont soumises qu'à la délivrance du certificat d'urbanisme de l'article **L. 111-5** ;
– du contrôle par une déclaration préalable du morcellement foncier de certains **espaces naturels fragiles** (art. L. 111-5-2) ;
– et **du permis valant autorisation de division**, dit « permis groupé » de l'art. **R. 421-7-1** c'est-à-dire de la construction sur un terrain par une même personne de plusieurs bâtiments, le terrain d'assiette devant faire l'objet d'une division en propriété ou en jouissance.

> SECTION 2
Procédure d'autorisation

§1 DEMANDE D'AUTORISATION (art. R. 315-4)

La demande peut porter sur l'ensemble de la propriété ou seulement sur une partie. Elle est présentée par le **propriétaire** du terrain, son **mandataire**, ou une **personne justifiant d'un titre** l'habilitant à réaliser l'opération, le juge administratif s'en tiendra à la qualité de propriétaire **apparent**.

Le **dossier** de la demande contient **une note de présentation** et trois catégories de documents graphiques : **plan de situation, plan de l'état actuel du terrain, plan de composition (art. R. 315-5)**. En l'absence de POS et si le projet envisage la réalisation de plus de 3 000 m² SHON une **étude d'impact** devra être jointe. Le cahier des charges et le règlement sont des documents facultatifs. Pour les projets d'une certaine importance, des informations concernant l'environnement (cf. volet paysager) et la collecte des déchets, seront exigées.

§2 Instruction

Depuis le 1ᵉʳ avril 1984 la procédure a été **décentralisée** et, lorsque la commune est dotée d'un PLU approuvé, le **maire** est compétent pour instruire les demandes, avec le concours des services municipaux ou la mise à disposition, par convention, des services de la DDE. Pour les communes non pourvues de PLU le **préfet** est compétent pour instruire et délivrer l'autorisation, au nom de l'État.

Lorsque le **dossier est complet**, l'autorité compétente adresse, dans les **15 jours**, une lettre au demandeur lui faisant connaître la date avant laquelle la décision doit lui être notifiée. Si le dossier est incomplet, il l'invite, dans le même délai, à fournir les pièces complémentaires.

Au cas où, dans les 15 jours du dépôt en mairie, le demandeur n'a pas reçu de réponse, il peut « mettre en demeure » l'autorité compétente de procéder à l'instruction de sa demande : c'est la « **requête en instruction** » et si, dans les 8 jours, la lettre en réponse n'a toujours pas été notifiée, le délai d'instruction part de la date à laquelle a été reçue la mise en demeure (cf. *infra*, à propos du **permis de construire**).

§3 Décision

Prise sur le fondement de la législation en vigueur au moment où l'autorité compétente (maire, président de l'EPCI préfet) prend sa décision elle peut conduire à une autorisation **expresse** ou **tacite**, **simple ou assortie de prescriptions spéciales**, à un **refus** pour non respect des prescriptions du PLU lorsqu'il en existe un, ou pour violation des dispositions du RNU et des lois d'aménagement et d'urbanisme… L'art. R. 315-28 permet de refuser l'autorisation lorsque le lotissement « **est de nature à compromettre les conditions d'un développement équilibré de la commune ou de l'agglomération** », la conservation d'un site ou de vestiges archéologiques et de porter atteinte au paysage.

La **publicité** de la décision est très complète : publicité administrative avec un affichage en mairie durant 2 mois, affichage sur le terrain, et publicité foncière au fichier immobilier.

§4 Effets

Caducité. Deux motifs de caducité sont prévus : **non-commencement des travaux** dans les 18 mois suivant l'autorisation ; **non-achèvement des travaux** dans un délai qui ne peut être supérieur à 3 ans. En cas de réalisation par tranches, le délai ne peut dépasser 6 ans.

L'autorisation de lotir a un **caractère réel** et non personnel. Si la personne du lotisseur change à la suite d'une mutation, il n'y a pas lieu à nouvelle demande mais il y a transfert d'autorisation.

C'est un acte « **complexe** », **non réglementaire, créateur de droits** : droit à lotir, droit à indemnisation en cas de servitudes nouvelles causant un préjudice direct, matériel et certain.

Mais il **ne donne aucun droit acquis à construire**. C'est une autorisation de division d'un terrain en vue, certes, de la construction mais qui laisse toute liberté ensuite à l'administration pour octroyer ou refuser les permis de construire en se fondant sur d'autres réglementations.

§5 RECOURS CONTENTIEUX

• Recours **en excès de pouvoir** : le lotisseur dispose d'un délai de **2 mois** à compter de la notification. En ce qui concerne les tiers, ce délai court à compter de la plus tardive des dates suivantes : premier jour d'une période continue de 2 mois d'affichage sur le terrain d'une part, en mairie d'autre part (cf. par analogie avec le nouvel **art. R. 490-7** en matière de permis de construire).

• Recours **en exception d'illégalité** : irrégularité du POS servant de fondement à l'autorisation de lotir ou irrégularité de cette dernière soulevée à l'appui d'un recours contre un permis de construire.

• Contentieux de **la responsabilité**. Fondé sur la faute (irrégularité du refus ou du retrait s'agissant du pétitionnaire, de l'octroi s'agissant des tiers) ce contentieux tend à se développer.

> SECTION 3

Réalisation

Il peut arriver que les terrains divisés soient pourvus des équipements publics nécessaires. Mais le plus souvent, il faut créer du « **terrain à bâtir** » et le lotisseur est contraint à réaliser dans des délais stricts, **des travaux d'équipement collectifs**, sous le contrôle de l'administration, sous peine de la caducité de l'autorisation de lotir. Il peut aussi être prié de contribuer, par des taxes et participations financières, à la réalisation des **équipements publics** de la commune. Un autre préalable à la commercialisation des lots est la mise en place des **instruments et structures juridiques** du lotissement.

§1 RÉALISATION DES ÉQUIPEMENTS COLLECTIFS

A. Champ d'application

Pour lutter contre la pratique ancienne des lotissements défectueux et affermir les garanties des colotis, les textes (cf. **art. L. 332-15 et R. 315-29**) donnent à l'autorité administrative de larges pouvoirs pour **imposer** « en **tant que de besoin** » l'exécution de tous travaux nécessaires à la viabilité et à l'équipement : voirie, alimentation en eau, gaz, électricité, réseaux de télécommunication, d'évacuation des matières usées, aires de stationnement, espaces collectifs et, depuis la loi du 17 janvier 2001, les prescriptions en matière d'archéologie préventive. cf. : CE 20 juillet 1991, « *La SCI Domaine du Bernet* ».

Une **concertation** préalable devrait permettre de proportionner équitablement l'importance des équipements à celle du lotissement.

B. Exécution et contrôle

Les travaux ont le caractère de **travaux privés**, à l'exception de ceux réalisés par les communes dans les lotissements communaux.

Ils doivent être entrepris dans les **18 mois** de la délivrance de l'autorisation et achevés dans les **3 ans** au plus (**art. R. 315-30**). En cas de réalisation par tranches, ces délais ne s'appliquent qu'à la première tranche. L'autorité administrative qui a délivré l'autorisation peut « **visiter les lieux à tout moment et procéder aux vérifications qu'elle juge utiles** ».

À l'achèvement des travaux, le lotisseur doit obtenir un **certificat** constatant soit l'achèvement complet, soit l'achèvement des travaux autres que ceux de finition. Le refus du certificat doit être « particulièrement » motivé. Si l'inexécution des travaux est imputable au fait de l'administration, l'arrêté n'est pas caduc : CE 9 juillet 1982, « *Lagouerte* ».

C. Propriété et gestion

Lorsque des équipements communs sont prévus, la création d'une **association syndicale de propriétaires** ayant pour objet la propriété, la gestion et l'entretien est le plus souvent obligatoire.

Les acquéreurs de lots **adhèrent automatiquement en signant l'acte de vente**. Le transfert de propriété des voies et équipements communs est généralement consenti pour un prix symbolique. Les statuts de l'association sont rédigés librement et ne sont pas soumis à l'approbation de l'autorité administrative.

Pour éviter les charges d'entretien, souvent lourdes, des équipements, les colotis peuvent décider de demander le transfert **dans le domaine public communal**, transfert qui peut intervenir d'office et sans indemnité en ce qui concerne les voies privées ouvertes à la circulation publique.

§2 Participations financières

Si la réalisation des équipements propres au lotisseur a pour objet la satisfaction de l'intérêt collectif des colotis, les taxes et participations financières imposées au lotisseur pour la réalisation d'équipements publics extérieurs au lotissement le sont dans **l'intérêt général de la commune**.

Depuis la loi aménagement du 18 juillet 1985 les lotisseurs sont soumis aux mêmes prescriptions que les autres aménageurs. Il s'agit donc de la taxe locale d'équipement, de la participation en secteur d'aménagement et des participations additionnelles cumulatives : cf. taxe départementale des espaces naturels sensibles, participations pour la réalisation d'équipements propres…

Des **cessions gratuites de terrains** peuvent aussi être exigées mais seulement « **à bon escient** » et pour des projets précis, en particulier « la création ou l'élargissement des voies publiques » et dans la limite de 10 % de la surface totale.

§3 Les documents du lotissement : cahier des charges et règlement

Une distinction est faite entre le **règlement**, qui fait l'objet d'une **approbation** de l'autorité administrative et qui ne doit comporter que des règles d'urbanisme de **droit public** et le **cahier des charges** dispensé d'approbation qui ne devrait contenir que des règles d'intérêt **privé ou collectif**.

Depuis les réformes de 1976-1977, ces deux documents sont **facultatifs**.

A. Règlement (art. R. 315-5-e)

Facultatif : il n'intervient que « s'il est envisagé d'apporter des compléments aux règles d'urbanisme en vigueur ».

Provisoire : il y a, depuis la loi du 6 janvier 1986, un « effacement automatique » du règlement au terme de 10 années après l'autorisation de lotir par **incorporation au PLU** lorsque celui-ci a été approuvé.

Le contenu du règlement s'inspire à cet effet de celui du PLU et accueille des dispositions relatives à l'accès, la desserte, l'implantation et l'aspect extérieur des constructions, aux coefficients d'emprise et d'occupation du sol.

B. Le cahier des charges (art. R. 315-9)

Facultatif, il ne contient en principe, que des règles d'intérêt privé ou collectif destinées à **régir les relations entre les colotis**, clauses relatives aux servitudes de droit privé et à la vie communautaire : bonne tenue des propriétés, lutte contre le bruit… Il se présente en pratique comme un contrat d'adhésion auquel il est souscrit lors des ventes de lots.

Bien que les clauses d'intérêt général de nature administrative n'y aient pas leur place, la tendance à « **surcharger** » le cahier des charges par de véritables servitudes d'aménagement a pu être dénoncée. Elle explique la persistance des controverses jurisprudentielles.

C. Portée juridique

Le Conseil d'État fait du cahier des charges approuvé un « **acte mixte** » comportant à la fois des **dispositions contractuelles de droit privé et des dispositions réglementaires**. Sa position s'explique par le désir de contrôler les dispositions d'urbanisme « surchargeant » irrégulièrement certains cahiers.

La Cour de cassation (3ᵉ ch. civile) a longtemps estimé que toute règle introduite dans un cahier des charges constitue une disposition d'ordre **contractuel** sans qu'il y ait lieu de rechercher son objet, position qui n'était pas celle de la 1ʳᵉ ch. civile.

La loi SRU tranche en décidant que « la seule reproduction ou mention d'un document d'urbanisme ou d'un règlement de lotissement dans un cahier des charges, un acte ou une promesse de vente **ne confère pas à ce document ou règlement un caractère contractuel** » (art. **L. 111-5** nouveau). **L'objet de la clause** l'emporte sur la **nature du document** où elle est insérée.

§4 Violation des règles et sanctions

A. Violation des dispositions de nature réglementaire

Le **permis de construire** sera refusé s'il n'est pas conforme aux dispositions du règlement du lotissement, lesquelles, avant l'incorporation, s'appliquent cumulativement avec les autres dispositions réglementaires notamment celles des PLU. S'il y a divergence, la règle **la plus sévère** est retenue.

Le **juge civil interprète** les dispositions contractuelles du cahier des charges et accepte aussi de connaître les actions extra-contractuelles pour violation d'une servitude objective d'urbanisme. Il doit surseoir à statuer et renvoyer au juge administratif la **question préjudicielle** de la légalité du permis de construire.

L'action se prescrit par **5 ans** à compter de l'achèvement des travaux.

B. Violation des dispositions de nature contractuelle

L'action est ouverte aux **colotis** mais pas aux tiers. Elle se prescrit par **30 ans**. Les stipulations du cahier des charges s'imposent aux acquéreurs successifs de lots même si elles n'ont pas été mentionnées dans les actes de vente.

C. Pouvoirs d'interprétation du juge

Ils sont très **larges** en raison de la diversité et de l'obscurité de certaines clauses, en particulier celles rédigées pour les lotissements anciens et dont la signification est devenue inadaptée : cf. interprétation de la notion d'immeuble « **à usage d'habitation** » (affaire de la tour Cikhara à La Baule. **CE 20 janvier 1978**, « *Roehn-Béretta* ») ou de la notion « **d'habitation bourgeoise** » (affaire de la Villa Montmorency à Paris Cass. 3ᵉ civ., 28 juin 1972). Voir aussi CE 28 janvier 1977, « *Agopyan* ».

D. Sanctions civiles

La violation des règles du lotissement par un coloti est sanctionnée sévèrement par le **juge civil : annulation** des actes de vente, **condamnation à démolition**. Il n'y a pas, en principe, de prescription ni de possibilité de régulariser les situations non conformes, sauf si les colotis ne jouissaient pas de la servitude depuis plus de 30 ans.

> Section 4

Gestion

Après que les terrains aient été divisés et équipés, le lotisseur peut procéder à la commercialisation des lots, laquelle, pour des raisons économiques et financières, a été facilitée comme l'ont été la modification et l'adaptation, parfois automatique, des documents du lotissement aux règles d'urbanisme, PLU en particulier.

§1 Commercialisation des lots

L'exécution préalable des prescriptions imposées au lotisseur est la condition qui protège les colotis contre les risques d'un lotissement défectueux ou inachevé. Les textes ont cependant admis certains **assouplissements** permettant la commercialisation avant l'achèvement complet des travaux.

A. Dispositions applicables avant la délivrance de l'autorisation de lotir (art. L. 316-2 et L. 316-3)

Le principe selon lequel sont **interdites** sous peine de sanctions pénales ou civiles (nullité des conventions) les **ventes**, **locations** ou **promesses** de vente ou de location des terrains bâtis ou non bâtis avant l'arrêté autorisant le lotissement a été peu à peu assoupli.

L'article L. 316-3 permet avant l'arrêté d'autorisation de lotir, une certaine publicité dans le but de faciliter la précommercialisation et d'obtenir plus aisément les concours bancaires. Toute publicité mensongère serait sévèrement sanctionnée.

La loi SRU ajoute un art. **L. 316-3-1** autorisant, sous de strictes conditions, le lotisseur à consentir une **promesse unilatérale de vente**, immobilisant le lot moyennant versement d'une indemnité déposée en compte bloqué, laquelle sera restituée au déposant sauf s'il n'a pas respecté les conditions de la promesse de vente, le contrat n'étant pas conclu de son fait.

B. Différé de certains travaux de finition (art. R. 315-33 a)

Peut être sollicitée l'autorisation de **différer la réalisation** du revêtement définitif des **voies**, l'aménagement des **trottoirs** et équipements en dépendant, ceci afin d'éviter la dégradation des voies du lotissement par les véhicules et engins divers les empruntant lors des travaux de construction des bâtiments, considérations d'ordre **technique**.

C. Vente avant achèvement des travaux, garantie d'achèvement
(art. R. 315-33 b)

Des considérations **économiques** et **financières** (équilibre du budget de l'opération) justifient la possibilité accordée au lotisseur de demander à être autorisé à procéder à la vente ou à la location des lots **avant l'exécution de tout ou partie des travaux prescrits** mais à la stricte condition de bénéficier d'une garantie d'achèvement.

Cette garantie financière est donnée par un établissement de crédit.

L'arrêté autorisant les ventes fixe une **date** à partir de laquelle, en cas de non achèvement des travaux les sommes nécessaires pour les mener à leur terme seront libérées par le garant. Les délais ne devraient pas dépasser 3 ou 6 ans (cf. les règles de caducité de l'art. R. 315-30).

§2 Modification des documents du lotissement

Afin de réaliser un **équilibre** entre l'**intérêt général** exprimé par les règles d'urbanisme lequel est susceptible d'évolution et l'**intérêt particulier ou collectif des colotis** qui requiert la **stabilité** des situations juridiques, le régime de modification des documents du lotissement a été adapté et libéralisé. Trois situations peuvent se rencontrer.

A. Modification à l'initiative des colotis (art. L. 315-3)

Le projet de modification doit être demandé ou accepté par les **2/3 des propriétaires détenant au moins les 3/4 de la superficie du lotissement** ou inversement, forte majorité qualifiée qui a remplacé l'unanimité exigée auparavant.

Pour apprécier l'opportunité de la modification l'autorité administrative vérifie sa **compatibilité** avec la réglementation d'urbanisme applicable au secteur. Une modification qui aurait pour seul objet la régularisation d'une situation irrégulière n'est pas admise.

L'arrêté modificatif est opposable à tous les colotis. Il a le caractère d'un **acte réglementaire** sur lequel le juge administratif exerce un contrôle restreint. L'exception d'illégalité de cet arrêté peut être soulevée à l'occasion d'un recours contre un permis de construire.

B. Mise en concordance avec les dispositions d'urbanisme (art. L. 315-4)

Lorsque l'approbation d'un PLU a été prononcée postérieurement à une autorisation de lotissement, l'autorité compétente **peut** modifier tout ou partie des documents pour les **mettre en concordance avec le plan**. Le projet de modification est soumis à l'avis du conseil municipal et une enquête publique (loi du 12 juillet 1983) est exigée.

C. Modification par déclaration d'utilité publique (art. L. 315-7)

La déclaration d'utilité publique d'une opération qui n'est pas compatible avec les dispositions à caractère réglementaire d'un lotissement approuvé ne peut intervenir que si l'enquête publique concernant cette opération **a porté à la fois sur l'utilité publique et sur la modification des documents du lotissement**. La DUP emporte alors modification des documents du lotissement.

§3 DISPARITION DES RÈGLES PROPRES AU LOTISSEMENT

A. Incorporation au PLU (art. L. 315-4, al. 6)

Lorsqu'un lotissement a été autorisé postérieurement au 1ᵉʳ janvier 1978, le règlement du lotissement **peut être incorporé au PLU** après la vente du dernier lot ou 5 ans après l'autorisation de lotir.

B. Péremption des règles d'urbanisme du lotissement (art. L. 315-2-1)

La loi du 6 janvier 1986 a introduit le principe de la **disparition des règles d'urbanisme** contenues dans les documents approuvés d'un lotissement au terme d'un **délai de dix ans** à compter de la délivrance de l'autorisation de lotir lorsqu'un PLU ou un document d'urbanisme en tenant lieu a été approuvé.

La majorité (2/3 – 3/4) des colotis peut exprimer son souhait de maintenir les règles propres au lotissement mais l'administration peut passer outre. Une enquête publique (loi du 12 juillet 1983) est obligatoire.

§4 LOTISSEMENTS COMMUNAUX

Les règles sont celles du **droit commun**, la personne publique étant traitée comme un lotisseur privé au regard des textes (cf. le contrat de vente de lots est un contrat de droit privé, le régime de responsabilité celui de la responsabilité contractuelle non celui des travaux publics). La commune peut recourir à l'expropriation et un débat intéressant porte sur l'**utilité publique de l'opération**. D'une part, il convient que l'opération soit bien nécessaire au développement communal et que la commune en maîtrise les risques financiers. D'autre part, l'initiative publique reste subordonnée à la **carence de l'initiative privée** la jurisprudence tentant de freiner une « concurrence » qui peut paraître encore plus déloyale lorsque la commune confie la réalisation du lotissement à un aménageur privé.

Le risque de « prise illégale d'intérêts » (art. 432-12 C. pén.) des élus municipaux est aussi particulièrement surveillé.

> Chapitre III

La réhabilitation des quartiers anciens

L'amélioration des quartiers anciens est à l'intersection des **initiatives publiques et privées.**

L'initiative peut venir des **propriétaires** eux-mêmes qui y seront incités par des aides financières. Au nom de l'intérêt général différents systèmes ont été prévus pour contraindre les propriétaires d'immeubles vétustes d'entreprendre les travaux indispensables en les insérant dans un projet cohérent de réaménagement. Rien n'interdit de recourir au système de la ZAC pour réaliser ces opérations.

En réaction contre la première génération d'opérations trop diversifiées, rigides et centralisées, la loi du 18 juillet 1985 a non seulement **décentralisé** la plupart de ces procédures mais elle a cherché à en simplifier le déroulement.

> Section 1

Les premières procédures

§1 La rénovation urbaine

Inspirée par une philosophie simpliste et radicale, qui s'appliquait à la même époque aux ZUP, ce système, mis en place par un **décret du 31 décembre 1958**, entraînait l'acquisition autoritaire des immeubles, leur **démolition**, et la reconstruction d'un nouveau quartier selon des standards où les préoccupations économiques l'importaient sur la recherche de préservation du patrimoine. Le préfet décidait de l'opération, fixait le périmètre et arrêtait la liste des immeubles à démolir. La réalisation de l'opération était le plus souvent confiée à un organisme aménageur, telle une SEM d'aménagement.

Les résultats furent unanimement jugés fâcheux : médiocre maîtrise des coûts et des délais et surtout ségrégation sociale, tertialisation et densification des centres villes, défiguration des sites et ensembles architecturaux. Il était urgent, a-t-on pu dire, de voter l'abolition des sacrilèges.

Aucune opération de ce type ne fut entreprise après 1977 et la loi du 18 juillet 1985 a **supprimé** ce système.

§2 L'insalubrité et l'état de péril

La loi SRU leur consacre de longs développements afin de réorganiser deux procédures anciennes destinées à mettre fin à des situations de péril et d'insalubrité :

• **La police des immeubles menaçants ruine**, aux origines lointaines (XVIIIe siècle), est une police spéciale entrant dans les attributions du maire.

La loi SRU apporte diverses modifications, insérées au Code de la construction et de l'habitation, dans le but de renforcer les garanties des propriétaires : situation d'insécurité constatée par une commission ; possibilité pour le propriétaire qui conteste le péril de recourir à une **expertise contradictoire** ; insécurité constatée par le TA ; possibilité de faire réaliser les travaux dans le cadre d'un bail à réhabilitation.

Elle cherche aussi à renforcer les garanties des occupants des immeubles menaçant ruine : préavis, hébergement provisoire, **relogement**.

• **La législation sur les immeubles insalubres** remonte à la loi Vivien du 10 juillet 1970. Ses dispositions ont été reprises dans le Code de la santé.

La **loi SRU** précise les conditions d'exercice des compétences du **préfet** : avis du conseil départemental d'hygiène ; **débat contradictoire** en présence des propriétaires et des occupants ; possibilité, s'il n'y a pas d'autres moyens de remédier à l'insalubrité, de prononcer l'interdiction définitive d'habiter et de prescrire toutes les mesures y compris la démolition, **relogement** des occupants ; recours éventuel à un bail à réhabilitation.

> ## Section 2
La restauration immobilière

Prévues par la loi Malraux du 4 août 1962, les opérations de restauration immobilière sont destinées à réhabiliter les quartiers anciens, présentant un intérêt historique ou esthétique. Les opérations de restauration peuvent être réalisées dans le cadre d'un secteur sauvegardé (**art. L. 313-1 et s.**) ou hors de ce cadre (**art. L. 313-4 et s**).

§1 Dans le cadre d'un secteur sauvegardé

La procédure n'a pas été décentralisée (cf. *supra*). Le **plan de sauvegarde et de mise en valeur** du secteur indique les immeubles dont la démolition ou l'altération sont interdites et ceux dont la modification pourra être imposée.

Les opérations de restauration sont menées soit à **l'initiative des propriétaires**, groupés ou non en association syndicale et fortement contrôlés (autorisation spéciale du préfet quant aux travaux envisagés), soit à **l'initiative des collectivités publiques**.

§2 En dehors d'un secteur sauvegardé

Depuis **la loi du 18 juillet 1985**, le conseil municipal a compétence pour délimiter, après enquête publique, dans les communes dotées d'un PLU approuvé, un « **périmètre de restauration** » dans lequel pourront être entrepris des « travaux de remise en état, de modernisation ou de démolition ayant pour conséquence la transformation des conditions d'habitabilité » (**art. L. 313-4**). Ces travaux peuvent désormais concerner un **immeuble particulier** comme un « **ensemble d'immeubles** ».

L'approbation du programme des travaux à réaliser a aussi été décentralisée et si les propriétaires refusent de l'entreprendre ils pourront être expropriés. Le **nouvel art. L. 300-5** issu de la loi du 13 juillet 1991 faisait obligation aux communes ayant des projets de restauration d'élaborer un « **programme de référence** » destiné à coordonner les différentes initiatives, les procédures et les financements. Ces programmes ont eu une vie brève. Trop difficiles à mettre en œuvre, ils ont été supprimés par la **loi du 9 février 1994**.

La participation des propriétaires privés aux opérations de restauration est encouragée par des **avantages fiscaux** importants permettant, en particulier, la déductibilité du « **déficit foncier** ». Plusieurs fois modifié, le régime actuel trouve sa source dans la loi de finances pour 1994. Les travaux d'amélioration et de démolition sont déductibles. Comme par le passé, les propriétaires s'engagent à louer leur immeuble pour une durée minimale de six ans.

§3 BILAN

Contrairement à la rénovation, la restauration immobilière impose le respect de l'essentiel de la trame urbaine existante et fait appel à un cadre juridique suffisamment souple pour permettre une gamme d'**interventions graduées** depuis les plus **contraignantes** et lourdes jusqu'aux plus **légères** où les pouvoirs publics ne jouent qu'un rôle d'incitation et de coordination.

Les réformes successives sont cependant restées inachevées, les textes manquent de cohérence et la souplesse semble insuffisante. La **loi du 14 novembre 1996** sur le pacte de relance pour la ville contient certaines dispositions concernant la restructuration des grands ensembles et des quartiers dégradés.

> SECTION 3
Les nouvelles formes d'intervention

À partir de 1977, des arrêtés et circulaires ont mis au point des systèmes **plus souples et décentralisés** afin d'encourager des opérations à échelle **réduite** où la protection des occupants des logements était prioritaire. Le Fonds d'aménagement urbain (**FAU**) devenu Fonds social urbain (**FSU**) délivre des aides financières dont les communes ont la libre disposition pour leurs opérations en centre urbain, lesquelles peuvent prendre la forme d'**opérations programmées d'amélioration de l'habitat (OPAH) (art. L. 303-1)**, procédure souple s'insérant dans les cadres législatifs et réglementaires existants et dont l'ambition est d'améliorer le patrimoine immobilier en assurant le maintien sur place, dans de meilleures conditions de confort, des occupants de condition modeste. Dans ce but, une **convention tripartite** est signée entre la commune, maître d'ouvrage, l'État qui accorde des subventions et l'**Agence nationale pour l'amélioration de l'habitat (ANAH)**.

La loi du 18 juillet 1985 a regroupé les dispositions concernant la **protection des occupants (art. L. 314-1 à L. 314-9)**, lesquelles se sont multipliées : droit de priorité pour l'acquisition, droit au relogement et pour les commerçants et artisans : droit de délaissement et droit à déspécialisation du bail dans certains cas.

Le « **retour de l'État** » s'est manifesté par la suite, afin de relancer la politique du logement social dont il conserve la maîtrise et de mettre au point des programmes nationaux de solidarité et d'innovation pour les grands ensembles dégradés : cf. **conventions de développement social des quartiers, conventions ville-habitat, contrats de ville, Mission « Banlieue 89 », actions expérimentales**…

La loi SRU accorde une large place à des procédures destinées à la solidarité entre les communes en matière d'habitat, à la protection des acquéreurs d'immeubles et des copropriétaires, à celle des commerçants (art. L. 314-5) à la revitalisation économique des quartiers, à la politique des transports urbains, à l'« offre d'habitat diversifiée et de qualité ».

> Chapitre IV
Les zones d'aménagement concerté

L'article **L. 311-1** les définit comme « **des zones à l'intérieur desquelles une collectivité publique ou un établissement public y ayant vocation, décide d'intervenir pour réaliser ou faire réaliser l'aménagement et l'équipement des terrains, notamment de ceux que cette collectivité ou cet établissement a acquis ou acquerra en vue de les céder ou de les concéder ultérieurement à des utilisateurs publics ou privés** ».

Instituée par la **LOF du 30 décembre 1967** afin de se substituer au régime décrié des ZUP son caractère dérogatoire a été atténué par la loi du **31 décembre 1976** imposant sa compatibilité avec les SD, sa localisation dans les zones U ou NA des POS et rapprochant l'élaboration du PAZ de celle du POS. La **loi du 18 juillet 1985** et **la loi SRU** cherchent à simplifier son régime et à le rapprocher du droit commun.

Souple, polyvalente, faisant une large part en amont à la **concertation**, mêlant les procédures et les partenaires publics et privés, la ZAC – qui a même été exportée au Japon – connaît un réel **succès** auprès des collectivités publiques. De 1970 à 1997 plus de **6 000 ZAC** ont été créées, chiffres en baisse ces dernières années beaucoup de ZAC n'étant pas achevées et restants en cours de commercialisation.

L'essentiel de la réglementation figure aux articles **L. 311-1 et s. et R. 311-1 et s.**

> Section 1
Création

§1 Initiative

À la différence du lotissement qui est une opération d'aménagement de nature surtout privée, la ZAC est une **opération d'aménagement publique. L'initiative est toujours publique** quel que soit son mode de réalisation. L'article **R. 311-1** précise que l'initiative est prise par une collectivité publique ou par un établissement public y ayant vocation, cf. **EPCI, EP d'aménagement, organismes publics d'HLM**.

§2 Localisation

Destinée à **l'équipement** et à **l'aménagement** cohérent de terrains prévus à cet usage, les ZAC ne sauraient être implantées que sur des sols ayant cette affectation, sauf à devenir le symbole d'un urbanisme dérogatoire et mal maîtrisé, grief qui leur fut adressé dans les premières années de leur fonctionnement.

• Lorsque la commune **est dotée d'un PLU**, les ZAC ne peuvent être créées **qu'à l'intérieur des zones urbaines ou destinées à être urbanisées**. La création de ZAC « multisites », sur plusieurs emplacements territorialement distincts est possible.

• Lorsque la commune, e**st couverte par un SCOT**, la ZAC devra être **compatible** avec ses dispositions tant en ce qui concerne sa localisation que son programme.

De surcroît, la ZAC doit respecter les prescriptions des **lois montagne et littoral**. De nombreuses ZAC projetées sur la côte d'Azur ont été annulées pour avoir méconnu leurs dispositions.

§3 OBJET

Le champ d'application de la ZAC est très **vaste**. L'aménagement de terrains bâtis ou non bâtis a pour objet « **notamment** » la réalisation : « 1° **De constructions à usage d'habitation, de commerce, d'industrie, de services** ; 2° **D'installations et d'équipements publics ou privés** ».

Ainsi cette procédure peut-elle servir les finalités très larges de l'aménagement énoncées par l'art. L. 300-1. Mais elle peut aussi concerner la transformation du tissu urbain existant : la ZAC sera souvent « multi-sites ». Elle est parfois incluse dans un programme plus vaste d'aménagement d'ensemble.

La jurisprudence exige que l'opération ait une certaine importance – en ce qui concerne surtout les travaux d'équipement – et ne soit pas une simple opération de construction, une « **zacquette** » : CE 28 juillet 1993, « *Commune de Chamonix* ». Les travaux d'équipement peuvent concerner la mise en valeur des **espaces naturels** CE 7 Juillet 2000 « *SCI cité Haute en Provence* ».

LA ZAC, dit-on familièrement, ne doit servir ni à exproprier, ni à racketter, ni à déroger.

§4 DOSSIER DE CRÉATION

La création d'une ZAC est précédée d'une **étude préalable** éclairant l'autorité qui prendra la décision sur l'opportunité du projet.

Elle précise les conditions techniques de réalisation, celles de la maîtrise foncière, les incidences sur l'environnement, les conséquences sociales, économiques et financières : coûts d'investissement et de gestion, incidences sur les finances locales... Les études préalables peuvent être confiées à l'organisme chargé de l'aménagement de la zone.

La **concertation préalable** de l'article **L. 300-2** est obligatoirement organisée par la personne publique qui a pris l'initiative de la ZAC et qui en fixe librement les conditions avec la commune. Une délibération du conseil municipal sur les objectifs et les modalités, puis sur le bilan de la concertation doit intervenir.

Un **dossier de création** est constitué par la personne initiatrice au vu du résultat des études et de la concertation.

Il comprend (**art. R. 311-2**) : un **rapport de présentation** indiquant l'objet et la justification de la ZAC une analyse de l'état du site et des effets sur l'environnement, un **plan de localisation et de situation** de la zone, des indications **sur le mode de réalisation** envisagée et sur le **régime financier** applicable et une étude d'impact.

§5 DÉCISION DE CRÉATION (art. L. 311-1)

Dans les communes dotées d'un **PLU approuvé**, la loi du 18 juillet 1985 a **décentralisé** la procédure de création. C'est donc le conseil municipal qui prend la décision et procède à la délimitation du périmètre et du programme de la ZAC.

La compétence appartient **au préfet** lorsque la commune **n'a pas de PLU** et dans un certain nombre d'hypothèses : ZAC réalisée à l'initiative de l'État, des régions, des départements ou de leurs établissements publics concessionnaires ; située à l'intérieur d'un périmètre d'opération d'intérêt national ; réalisée sur le territoire de plusieurs communes n'appartenant pas à un EPCI. Le conseil municipal donne son avis.

La décision de création est **affichée** en mairie et mention en est faite dans deux journaux régionaux ou locaux.

La jurisprudence a précisé que la décision de création n'a pas de caractère réglementaire et qu'elle ne crée pas de droits acquis à son maintien ni pour les tiers ni pour l'aménageur.

§6 Effets

L'administration peut **surseoir à statuer** sur les demandes de permis de construire susceptibles de contrarier le développement de l'opération (**art. L. 123-7**).

Bien que la décision de création n'ouvre pas en elle-même un droit de préemption aux collectivités publiques, les propriétaires disposent d'un **droit de délaissement** analogue à celui qui existe dans les emplacements réservés dans les PLU (mise en demeure d'acquérir leur terrain dans le délai d'un an) (**art. L. 311-2**).

L'arrêté de création devient **caduc** si le PAZ n'a pas été approuvé **deux ans** après la création de la zone, délai qui peut être prorogé d'un an.

> Section 2
Réalisation

§1 Constitution du dossier de réalisation (art. R. 311-7)

Établi par la personne publique ayant pris l'initiative de la ZAC il doit comprendre :
– Le **programme des équipements publics** à réaliser dans la zone. La liste de ces équipements indique les personnes publiques maîtres d'ouvrage et participant au financement qui doivent donner leur accord, le projet de programme global des constructions à réaliser dans la zone et l'étude d'impact éventuellement actualisée.
– Les **modalités prévisionnelles de financement** de l'opération dans son ensemble, plan de trésorerie mettant en valeur les charges respectives de l'aménageur et de la collectivité et l'évaluation des risques pour les divers partenaires ;
– Avant l'intervention de la loi SRU, le dossier de réalisation devait comprendre, s'il avait été décidé de ne pas maintenir en vigueur le POS un projet de planification spécifique : **le plan d'aménagement de la zone** (PAZ).

La **loi SRU supprime le PAZ**. Le ZAC est désormais soumise aux dispositions du PLU et son contenu devrait être moins dérogative que dans le passé.

§2 Modes de réalisation

A. Modes de réalisation directs

1. La régie

La personne publique ayant pris l'initiative de la création de la ZAC est alors **son propre aménageur**. Elle assume la responsabilité et le risque financier de l'opération. En pratique, ce mode de réalisation ne peut intéresser que des communes ou des EPCI d'une certaine importance. Il représente environ 25 % des ZAC.

2. Le mandat

Les **EP d'aménagement** étaient habilités à réaliser une ZAC **au nom et pour le compte** de la personne publique mandante, à la suite d'une convention de mandat. Cette technique, peu courante, principalement utilisée pour les villes nouvelles, et l'EP de La Défense a été abandonnée par la loi SRU.

B. Modes de réalisation indirects

L'État, les collectivités locales ou leurs EP peuvent confier l'étude et la réalisation des opérations d'aménagement à « toute personne publique ou privée y ayant vocation » **art. L 300-4.** Il s'agit de modes indirects de réalisation.

La loi SRU a supprimé la mode de réalisation le plus utilisé : la **concession d'aménagement** (45 % des ZAC), accordée. Seules subsistent les **conventions** qui peuvent prendre deux formes :

1. La convention publique d'aménagement (art. L. 300-4)

L'aménagement et l'équipement de la zone sont confiés par la personne publique qui a pris l'initiative de la création à un EP y ayant vocation ou une SEM à capitaux publics majoritaire aux termes d'une **convention publique d'aménagement.**

Les organismes contractants peuvent se voir confier les acquisitions par voie **d'expropriation** ou de **préemption**. Ils peuvent être associés aux études concernant l'opération et notamment à la révision ou à la modification du PLU.

Les cessions ou concessions d'usage de terrains à l'intérieur des ZAC font l'objet d'un **cahier de charges** indiquant la constructibilité autorisée et pouvant fixer des prescriptions techniques, urbanistiques ou architecturales (**art. L. 311-6**). Le cahier des charges devient caduc à la date de suppression de la zone. Le risque financier est supporté, en principe, par la personne publique.

2. La convention privée d'aménagement

Cette technique qui a permis d'ouvrir au **secteur privé** les opérations d'aménagement, offre l'avantage du soutien des capitaux privés et de l'intégration des fonctions **aménagement et construction.** Le contrôle de la collectivité publique doit s'exercer avec une vigilance toute particulière. La **convention- type** qui, depuis 1982, n'est plus qu'un « **modèle** » doit prévoir avec précision l'étendue de la mission de l'aménageur, l'échéancier des travaux, les garanties financières en ce qui concerne notamment la réalisation des équipements publics. Elle s'analyse comme un contrat administratif.

L'aménageur privé conventionné ne **peut bénéficier des prérogatives de puissance publique** en matière de préemption et expropriation à la différence de l'aménageur public conventionné.

C. Effets juridiques

En raison de la nature juridique de l'acte de création de la ZAC, l'aménageur n'a **aucun droit au maintien de celle-ci.** La personne publique peut l'abroger ou la modifier pour motif d'intérêt général, sauf erreur manifeste d'appréciation. L'aménageur pourrait cependant engager la responsabilité contractuelle de la collectivité publique pour violation des droits qu'il tient de la convention.

L'annulation définitive de la création d'une ZAC entache d'illégalité la convention d'aménagement et d'équipement : CAA Paris 29 mars 1993, « *Ass. Information et défense de l'environnement et de l'urbanisme* ».

La délibération autorisant le maire à signer une convention d'aménagement peut faire l'objet d'un recours en annulation. À cette occasion, l'illégalité de l'acte de création peut être soulevée par voie d'exception : CE 26 mars 1999, « *Soc. d'aménagement Port-Léman* ».

On rappellera que le choix du partenaire public ou privé aménageur reste marqué par l'*intuitu personae* et que les dispositions de la loi Sapin du 29 janvier 1993 imposant une mise en concurrence ne sont pas applicables aux conventions publiques d'aménagement (**art. 300-4** *in fine*). Cette disposition donne lieu à débat doctrinal et la Commission de Bruxelles a adressé au gouvernement français une demande d'explication.

§3 Maîtrise foncière et équipements

A. Maîtrise foncière

La réalisation d'une ZAC nécessite le plus souvent **l'acquisition des terrains par l'aménageur**. Rien n'interdit cependant que les propriétaires de terrains inclus dans une ZAC construisent eux-mêmes ou fassent construire.

Commencée généralement bien avant la création de la zone, l'acquisition peut se faire soit par **voie amiable**, soit à la suite de l'exercice du droit de délaissement des propriétaires soit par voie de **préemption** ou d'**expropriation**.

La procédure d'expropriation est, en principe, **indépendante** de la procédure de ZAC : la création d'une ZAC n'oblige pas nécessairement à expropriation et ne donne pas droit à exproprier ; ce droit résulte du caractère d'utilité publique de l'opération et la doctrine administrative se montre restrictive quant à l'utilisation de cette prérogative au profit des aménageurs privés.

La ZAC est aussi **indépendante** de l'exercice du droit de préemption. Mais, en pratique, la création d'une ZAC est souvent précédée de celle d'une **ZAD** et le conseil municipal peut instituer sur tout ou partie de la zone, un **droit de préemption urbain**.

B. Réalisation des équipements

Après une **mise en état des sols** : démolitions, défrichage… les équipements d'infra-structure et de superstructure sont progressivement réalisés. S'agissant des premiers, la **viabilité primaire** (cf. équipements reliant la zone à l'extérieur) est à la charge de la col-lectivité publique, la **viabilité secondaire** (voies de desserte, espaces collectifs, aires de stationnement) est à la charge de l'aménageur, la **viabilité tertiaire** (à l'usage exclusif des habitants d'un groupe d'immeubles) est le plus souvent à la charge du constructeur. Les éléments de **superstructure** (écoles, hôpitaux, équipements culturels et sportifs) sont **réalisés par la collectivité publique**.

C. Cession des terrains équipés

À moins qu'il ne se charge lui-même de la construction, l'aménageur cède en général les **terrains viabilisés** et divisés en lots à des constructeurs à la suite d'une **vente** mais aussi éventuellement d'un **bail à construction** ou d'une **concession d'usage**.

Contrairement à ce qui est exigé en matière de lotissement, rien ne s'oppose à ce que la commercialisation ait lieu **avant l'achèvement des travaux**, l'aménageur donnant une date prévisionnelle et une garantie d'achèvement.

Un **cahier des charges** de cession ou de concession d'usage de terrains est exigé par l'administration. Il indique notamment les surfaces constructibles autorisées sur **chaque parcelle** qui seront opposables aux permis de construire sollicités ultérieurement. Il est approuvé lors de chaque cession ou concession d'usage par le maire ou le président de l'EPCI et devient caduc à la date de la suppression de la zone (**art. L. 311-6**).

D. Participations financières

La taxe locale d'équipement trouve rarement application pour la réalisation d'une ZAC à qui convient mieux le système plus souple des **participations négociées avec l'aménageur** et, lorsque la zone est intégrée à un secteur d'aménagement, les participations forfaitaires de l'article L. 332-9 (cf. *supra*).

§4 SUPPRESSION ET MODIFICATION (art. R. 311-12)

La loi SRU supprime l'ancienne procédure de constat de l'achèvement de l'opération après exécution du programme d'équipements publics. Désormais, l'article R. 311-12 traite des modalités de suppression et de modification en renvoyant, pour l'essentiel, aux formes prescrites pour la création.

Pour qu'il soit constaté, deux conditions doivent être remplies : d'une part, le **programme des équipements publics** approuvé doit avoir été **exécuté**, d'autre part, la convention doit **être arrivée à son terme**.

Une décision expresse prise par l'autorité compétente pour créer la ZAC constate l'achèvement qui fait l'objet de mesures de publicité.

Ses effets sont les suivants : incorporation au PLU des cahiers des charges de concession et de cession ; retour **au droit commun de la fiscalité de l'urbanisme**.

> SECTION 3

Appréciation critique

La ZAC et le lotissement sont en principe deux opérations d'aménagement de conception **tout à fait différente**.

Le lotissement est d'**origine privée**. C'est une autorisation de construire, qui obéit aux règles d'urbanisme de **droit commun** et se trouve soumis, en particulier, aux dispositions du PLU.

La ZAC est, en principe, d'**initiative publique**. Son régime est largement **dérogatoire** : participations spécifiques ; recours possible à l'expropriation (si régie ou concession).

Les réformes apportées par la **loi SRU** : suppression du PAZ et de la concession d'aménagement ont pour raison d'être le retour de la ZAC vers le droit commun de l'urbanisme.

La **suppression du PAZ** et l'intégration au PLU des prescriptions propres à la ZAC répond à la vocation nouvelle des plans dont le contenu devrait être plus opération-

nel. Les révisions des PLU afin de favoriser la réalisation de la ZAC et de suivre son évolution ne seront cependant, pas toujours aisées à maîtriser. La **suppression de la concession d'aménagement** met fin aux querelles doctrinales sur le caractère ambigu de cette concession (mission de SP ou non) et sur sa dérive (prise en charge, très souvent, du financement des équipements par le concédant).

La convention d'aménagement, qu'elle soit publique ou privée, devrait permettre une modulation des obligations de chacun bien adaptée aux réalités de terrain, sans réduire l'importance du contrôle de la personne publique, initiatrice du projet.

La finalité d'intérêt général de la ZAC doit prévaloir laissant la responsabilité de l'aménagement aux personnes publiques, des critiques ayant pu être apportées aux ZAC trop dérogatoires, instables et « livrées aux aménageurs ». Une relance des ZAC est souhaitée pour vaincre les actuels blocages et relancer les chantiers.

AUTORISER, CONTRÔLER

La règle d'urbanisme n'a de raison d'être que si son respect est étroitement contrôlé. Ce contrôle s'exprime par la **voie contentieuse** : le juge administratif comme le juge pénal et, dans une moindre mesure, le juge civil, ont élaboré une jurisprudence féconde et subtile.

Il se manifeste aussi par l'exigence d'une **autorisation préalable** à l'opération de construction dont la plus commune est le permis de construire.

En amont, un contrôle plus souple de l'utilisation des sols s'est développé avec la pratique des **certificats d'urbanisme** qui autorisent peu mais jouent un rôle utile d'information et de l'administration et des administrés et de stabilisation temporaire des droits.

TITRE I
Le certificat d'urbanisme

Simple **note de renseignements**, née spontanément de la pratique, le certificat d'urbanisme n'avait à l'origine qu'un rôle discret **d'information** sur la nature et le contenu des servitudes d'urbanisme applicables à un terrain en indiquant, en particulier, les possibilités de construction. Le Conseil d'État n'admettait pas la recevabilité du recours en excès de pouvoir contre cette note mais le juge civil retenait la **responsabilité professionnelle du notaire** qui, ayant omis de la solliciter, était suspect d'avoir mal informé ses clients avant la passation d'un acte de vente immobilière.

Une circulaire unifie, en 1968, le contenu de ces documents désormais qualifiés certificats d'urbanisme et établit un **formulaire unique** d'application nationale.

Cet usage s'était enrichi de l'expérience faite entre 1955 et 1970 de la procédure **d'accord préalable** que l'administration, au vu d'un dossier allégé, délivrait aux constructeurs et qui ne pouvait être remis en cause durant un certain temps, en attendant la délivrance du permis définitif. Cet accord fut supprimé lors de la réforme du permis de construire par le décret du 28 mai 1970 mais ses dispositions concernant le **gel provisoire des règles d'urbanisme** applicables à un terrain ont influencé le régime actuel du certificat d'urbanisme.

La **loi du 16 juillet 1971** lui a donné un fondement légal (**art. L. 410-1**) et davantage de force juridique : il est désormais **plus qu'un simple document d'information et peut faire l'objet d'un recours en excès de pouvoir**, mais elle ne l'a pas hissé au niveau d'une véritable autorisation (voir CE 30 mars 1977, « *M. Équipement c/Fiamma* »).

Le régime s'est par la suite compliqué avec la survenance de **deux autres catégories de certificats**, l'un concernant la **densité** des terrains bâtis (**art. L. 111-5**), l'autre concernant les **divisions foncières** non constitutives de lotissement (**art. R. 316-54**).

Les lois du 7 janvier et 22 juillet 1983, qui ont décentralisé et quelque peu assoupli leur procédure de délivrance, n'ont pas modifié leur objet, lequel demeure **l'information** sur la constructibilité d'un terrain et les opérations réalisables (art. L. 410-1). La **loi SRU** a profondément modifié le système en supprimant les certificats de division foncière (anciens art. L.111-5 et R.315- 54) et en réformant les certificats d'information (art. L. 410-1).

Il se délivre près de **400 000 certificats d'urbanisme** chaque année.

> Chapitre 1
Les certificats d'urbanisme de l'article L. 410-1

Les deux certificats : **A (ordinaire)** et **B (détaillé)** s'ils ont un objet quelque peu différent sont soumis à un régime juridique et à une procédure de délivrance identique.

> Section 1
Les deux certificats d'urbanisme

Selon l'article L. 410-1 « Le certificat d'urbanisme indique, les dispositions d'urbanisme et les limitations administratives au droit de propriété et le régime des taxes et participations d'urbanisme applicables à un terrain ainsi que l'état des équipements publics existant ou prévus.

Lorsque la demande précise l'opération projetée, en indiquant notamment la destination des bâtiments projetés et leur SHON, le CU précise si le terrain peut être utilisé pour la réalisation de cette opération. »

L'ancienne « **note de renseignements** » subsiste, pratique courante qui ne repose que sur des circulaires (celles du 31 décembre 1973 et celle du 22 avril 1985 qui a décentralisé sa délivrance). Elle demeure un acte **purement informatif** et n'induit aucun des effets attachés au CU. Elle ne crée, en particulier, aucun droit au maintien provisoire de la réglementation existante.

Plus simple que le CU, elle a pour objet, en cas de mutation d'un immeuble sans modification de son état, de donner, notamment aux notaires, les **informations sur les règles et les servitudes d'urbanisme** applicables. Mais si la mutation peut entraîner une modification de l'utilisation de l'immeuble (construction, changement de destination…) seul le CU est susceptible d'apporter les renseignements et garanties nécessaires.

> Section 2
Le certificat d'information ordinaire

Avant la loi SRU, ce certificat, dit certificat *A*, indiquait les règles d'urbanisme applicables au terrain et prenait parti sur la constructibilité du terrain. Ce dispositif était critiqué car on faisait valoir que la garantie de constructibilité était illusoire puisqu'un certificat dit « positif » ne donnait aucun droit à l'obtention d'un permis.

La loi SRU fait de ce certificat, désormais « neutre », un document qui, comme par le passé, informe sur la situation du terrain au regard des dispositions d'urbanisme et de l'état des équipements publics existants ou prévus et de surcroît sur le régime des taxes et participations d'urbanisme applicables. *Mais il ne prend plus parti sur la constructibilité.* Les garanties de stabilisation des droits sont cependant maintenues (cf. *infra*)

> SECTION 3

Le certificat d'information détaillé

Ce certificat B indique si une **opération déterminée** « notamment un programme de construction, défini en particulier par la destination des bâtiments projetés et leur superficie de plancher hors œuvre », **est juridiquement possible** sur le terrain.

Les réformes apportées par la loi SRU se sont inspirées des recommandations du Rapport Labetoulle (1973).

> SECTION 4

La suppression des certificats de division foncière

• Deux certificats avaient été prévus par la loi du 31 décembre 1975 (art. L.111-5) et le décret du 26 juillet 1977 (art. R. 315-54) dont la fonction était de renseigner l'administration sur certaines opérations de division foncière lorsque celles-ci n'avaient pas pour objet un lotissement. Le premier, dit « certificat » de densité (art. L. 111-5), servait au contrôle de la **densité d'occupation des sols** et de la consommation des droits de construire étant entendu que « lorsqu'une partie est détachée d'un terrain dont les droits de construire n'ont été que partiellement utilisés, **il ne peut y être construit que dans la limite des droits qui n'ont pas été utilisés avant la division** ».

Il s'agissait d'éviter qu'une partie, détachée d'un terrain bâti dont les droits de construire ont été soit totalement, soit partiellement utilisés, puisse servir d'assiette à une opération de construction **dont la surface de plancher serait supérieure à la constructibilité résiduelle** compte tenu notamment du COS en vigueur.

Trop généralisé par la loi du 31 décembre 1975 qui l'avait créé, le CU de l'article L. 111-5 ne s'appliquait, depuis la loi du 18 juillet 1985, que dans les **ZAC** et dans les zones **où un COS avait été fixé**, c'est-à-dire là où les règles de densité d'occupation du sol ont une **autorité** particulière.

La **loi SRU** supprime ce certificat. Le calcul de la densité se fera d'une manière plus souple, le PLU déterminant les conditions de transfert du COS en vue du regroupement des constructions sur d'autres terrains (voir art. L. 123-1-1 et art. L.123-4). Certains redoutent les effets de **surdensification** que la réforme pourrait engendrer.

• Le second, dit de détachement, (art. R. 315-4) permettait à l'administration de contrôler la **division des sols** destinés à l'implantation de bâtiments **lorsque ce contrôle** n'intervient pas dans le cadre de la réglementation des lotissements.

Il indiquait si le terrain issu de la division était ou non constructible et, lorsqu'un COS était applicable, donnait, à titre indicatif la répartition de la SHON entre chaque terrain.

La jurisprudence estimait que l'absence ou l'illégalité du certificat était **sans incidence** sur la légalité du permis de construire délivré sur une parcelle issue de la division (CE 11 février, 1991, « *SA HLM Artois Logement* ».

> Chapitre II
Régime juridique

> Section 1
Délivrance

§1 Demande

La demande d'un CU au titre de l'article L. 410-1 est, en principe **facultative** et ne saurait être un préalable obligatoire à une demande d'autorisation de construire.

En pratique son **utilité** est incontestable : la production d'un CU permet de bénéficier de certaines **exonérations fiscales** et, à l'occasion de la vente de terrains à bâtir, le vendeur et son notaire seront mieux garantis dans leur obligation **d'information complète** et leur devoir de conseil. En cas de partage successoral ou acte assimilé le CU facilitera l'estimation des immeubles.

La demande peut être présentée par **toute personne intéressée** et pas seulement par le propriétaire ou son mandataire.

Elle est faite sur un **formulaire** conforme à un modèle national et contient un certain nombre de **renseignements : identité du demandeur, références cadastrales...** et de **pièces** : plan de situation du terrain et pour le certificat B, la note descriptive du projet envisagé.

Quelle que soit l'autorité compétente pour statuer, la demande est adressée (lettre recommandée a.r.) à la mairie, système dit du « **guichet unique** » applicable à toutes les autorisations d'occupation du sol. Elle est ensuite transmise au préfet.

§2 Instruction (art. R. 410-4 à R. 410-8)

Elle suit les **règles applicables au permis de construire.** Dans les communes dotées d'un PLU approuvé elle est assurée par les services communaux mais la commune peut confier l'instruction à un EPCI ou à la DDE. Dans les communes sans PLU et lorsqu'il s'agit de projets de l'État, de la région ou du département, c'est cette direction qui instruit la demande. La loi SRU, afin de simplifier la procédure, a supprimé les consultations, autrefois exigées, d'un certain nombre de services de l'État.

§3 Décision

L'autorité compétente est, en principe, la même que celle qui intervient ensuite pour le permis de construire, ce qui facilite l'instruction de ce dernier et assure continuité et cohérence des décisions. Le **maire** est compétent pour délivrer le CU au nom de la commune lorsque celle-ci est dotée d'un PLU ou d'une carte communale ; le **préfet** est compétent au nom de l'État en leur absence et dans trois cas particuliers : constructions pour le compte de l'État, de la région ou du département, ouvrages de production, transport et stockage d'énergie, périmètres d'opérations d'intérêt national.

Le CU doit être délivré dans un délai maximum de **deux mois** à compter du dépôt de la demande en mairie (ce délai pourtant impératif n'est pas toujours respecté). L'absence de réponse dans ce délai ne vaut pas CU **tacite.**

À défaut de décision explicite, dans un délai de 2 mois, la demande de certificat est considérée comme rejetée et ce refus peut être contesté devant le juge. La **responsabilité** de l'administration peut être engagée si le retard dans la délivrance est dommageable.

> SECTION 2
Contenu

Il dépend de l'appréciation par l'administration des règles d'urbanisme applicables et de la desserte en équipements au moment de la demande de certificat.

§1 INFORMATIONS DONNÉES PAR LE CERTIFICAT

Dans tous les cas, il indique : « **les dispositions d'urbanisme applicables au terrain ; les limitations administratives au droit de propriété ; la desserte du terrain par les équipements publics existants ou prévus** » et, depuis la loi SRU, le régime des taxes et participations (**art. R. 410-12**).

Dans l'hypothèse d'un CU pré-opérationnel, celui-ci indique, en outre, si le terrain peut être utilisé pour réaliser l'opération mentionnée dans la demande. Si celle-ci n'est pas réalisable, le CU énonce les motifs qui s'y opposent (art. R.410-15).

§2 RÈGLES DISCRÉTIONNAIRES ET PERMISSIVES

Le principe selon lequel le choix d'un CU ne repose **que sur le droit applicable au moment de la délivrance** appelle nécessairement des assouplissements lorsque la règle n'a pas un caractère impératif et définitif.

Étant admis que le CU doit faire état « **des seules dispositions qui seraient prises en considération si l'administration avait à prendre immédiatement en compte une décision sur une demande de permis de construire** », les précisions suivantes peuvent être apportées :
  – dans les communes où s'applique le **principe de constructibilité limitée**, si le terrain est situé en dehors d'une « partie actuellement urbanisée », le CU sera en principe toujours négatif ;
  – au cas où un **sursis à statuer** serait opposable à une demande d'autorisation, le CU en fait état (**art. R. 410-16**) mais il ne peut se prononcer sur l'application ou non de ce sursis ;
  – la question la plus délicate est posée par le large pouvoir d'appréciation laissé à l'administration pour l'application des **règles permissives du règlement national d'urbanisme** (RNU). Ce pouvoir est-il à même de s'exercer au stade du CU ? Après une période d'incertitude, la loi du 22 juillet 1983 a introduit dans l'art. L. 410-1 la disposition suivante conservée par la loi SRU : (art. L. 410-1-3°) : « **Lorsque toute demande d'autorisation pourrait, du seul fait de la localisation du terrain, être refusée en fonction des dispositions d'urbanisme, et notamment du RNU la réponse à la demande de CU est négative.** » L'administration a **compétence liée.**

Une « urbanisation dispersée » et la « protection des lieux environnants » sont des éléments d'appréciation de la « **localisation** » du terrain.

> Section 3

Effets

§1 Absence de garantie d'obtention d'autorisation de construire

Le **certificat A** fournit diverses informations sur la constructibilité mais la nature et les caractéristiques de la construction projetée peuvent ensuite justifier un refus de permis.

Le **certificat B** porte « exclusivement sur la **localisation de l'opération à l'emplacement considéré et sur les modalités de desserte** » et le permis peut être refusé pour d'autres motifs : aspect extérieur…

§2 Absence de création de droits lorsque le certificat est irrégulier. Retrait

Un CU illégal **peut être retiré à tout moment**. D'une part la jurisprudence estime qu'il n'a pas créé de droits au profit de son bénéficiaire, d'autre part, contrairement au permis de construire, le CU ne fait en principe l'objet d'**aucune mesure de publicité**. En conséquence, il peut être **rapporté** à tout moment s'il est illégal et notamment à l'occasion de la demande de permis de construire. Le **refus** de permis est alors analysé comme un **retrait** de certificat. CE 30 mars 1977, « *Sieur Fiamma* ».

La jurisprudence CE Ass. 26 octobre 2001 « *Ternon* », selon laquelle l'administration ne peut retirer une décision individuelle explicite créatrice de droits, si elle est illégale, que dans un délai de 4 mois suivant la prise de décision, trouve application ici.

§3 Garantie contre les changements de réglementation

Elle a été introduite par la loi du 16 juillet 1971 et a donné au CU le caractère d'un **acte créateur de droits** et non plus d'une simple note de renseignements.

Elle crée au profit du bénéficiaire d'un CU positif un **droit acquis au maintien des dispositions d'urbanisme applicables au moment de la délivrance**, lesquelles sont en quelque sorte « gelées » durant un certain temps et empêche qu'il soit tenu compte des changements de réglementation intervenus lors de la délivrance de l'autorisation, sauf si elles sont plus favorables au demandeur. Depuis la loi SRU, ce « gel » concerne aussi le régime des taxes et participations d'urbanisme.

Comme il vient d'être dit, cette garantie ne joue que si le CU est régulier.

La **durée de la garantie**, qui est celle de la validité du certificat, est **d'un an** pour le certificat A ; celle du certificat B ne peut excéder **18 mois**. Le délai peut être **prorogé** par périodes d'une année si les prescriptions d'urbanisme et les servitudes administratives n'ont pas évolué (**art. R. 410-18**).

La **sécurité** donnée par cette garantie est cependant **limitée** car ne sont « gelées » que les dispositions d'urbanisme et non les autres limitations au droit de propriété telles les servitudes d'utilité publique : l'apparition de **nouvelles servitudes** pourrait faire obstacle à la délivrance du permis. Par ailleurs, la garantie ne joue que si le certificat est régulier car aucune obligation de publicité n'a été prévue.

> CHAPITRE III
CONTENTIEUX

Il présente quelques **particularités** par rapport au contentieux de droit commun qu'il s'agisse de l'action en excès de pouvoir ou en responsabilité.

> SECTION 1
Contentieux de l'annulation

Considéré depuis 1971 comme un **acte** « **faisant grief** » le CU est susceptible de faire l'objet d'un **recours en annulation**, qu'il s'agisse d'un certificat positif – même après l'expiration du délai de validité – ou d'un certificat négatif bien qu'il ne fasse naître aucun effet créateur de droit. Le recours pourrait aussi être intenté contre une décision de refus de délivrance né d'un silence de 2 mois après la demande.

Le CU peut faire l'objet d'une demande de référé-suspension : *CE 5 décembre 2001*, « *Fourtoul* ».

Le recours contre un certificat peut être exercé par les tiers ayant **intérêt à agir**. Seules les personnes justifiant d'un titre sur le terrain sont recevables à attaquer un certificat négatif.

Le délai de recours est de deux mois à l'égard des personnes ayant reçu notification du certificat. À l'égard des tiers il n'y a pas de délai, en l'absence de mesures de publicité. La notification du recours (art. R. 600-1) n'a pas à être faite puisqu'elle ne concerne que les décisions valant autorisation d'occupation du sol.

> SECTION 2
Contentieux de la responsabilité

Devant le juge administratif. La **responsabilité de l'administration** pourra être mise en cause en application du principe de responsabilité du fait des **renseignements erronés**. C'est une responsabilité pour faute commise par le service ayant délivré le CU : erreurs, omissions, inexactitudes. Ex. : COS inférieur à celui applicable, oubli de mentionner la situation en site classé d'un terrain. *CE 13 juin 1980*, « *Poisson* », de mentionner l'insuffisance en équipements publics : *CE 3 octobre 1990*, « *Valleret* ».

Seul sera indemnisé le préjudice **direct** et **certain**. Ex. : Remboursement d'une commission d'agence pour l'achat du terrain à tort indiqué comme constructible, remboursement des honoraires de l'architecte et du géomètre et des premiers frais de desserte, mais pas des frais et pertes afférents à un emprunt souscrit avant d'avoir obtenu le permis de construire (« *Poisson* » précité).

Devant le juge judiciaire. La **responsabilité des notaires** coupables de n'avoir pas rempli correctement leur **devoir de conseil** : non-information sur une servitude grevant le terrain faute d'avoir sollicité un CU, non-explication du contenu du CU, peut se voir retenue, alors même qu'aucune obligation ne leur est faite de demander un certificat et qu'ils se contentent souvent d'une simple note de renseignements.

Titre II
Le permis de construire

Au cœur du droit de l'urbanisme dont il assure le respect, lié à des préoccupations concrètes et familières : il se délivre entre 3 et 400 000 permis par an, le permis de construire peut se définir comme **l'autorisation donnée par l'administration d'édifier une construction après vérification de la conformité du projet à la réglementation d'urbanisme.**

C'est un **contrôle préventif** de l'utilisation du sol, l'exercice d'un pouvoir de **police spéciale** par la délivrance d'une autorisation préalable.

Ses **origines sont anciennes** : cf. édit de Sully de 1607, décret impérial du 26 mars 1852 relatif aux rues de Paris, loi sur l'hygiène publique du 19 février 1902, mais ces textes n'imposaient un contrôle préalable que dans des buts limités de police : **sécurité** (cf. alignement, immeuble menaçant ruine) et **salubrité** (cf. respect des règlements sanitaires départementaux et communaux) et l'autorisation sanctionnait davantage des règles touchant au droit de la construction qu'au droit de l'urbanisme qui n'était pas encore né.

Sous sa forme actuelle **d'autorisation unique de synthèse** il date de la **loi du 15 juin 1943** qui le **généralise** à l'ensemble du territoire et déclare qu'il « se substitue à tous ceux qui étaient exigés par les lois et règlements antérieurs ». Son champ d'application a subi les flux et reflux d'une politique d'élargissement ou de limitation. C'est cette dernière tendance qui a inspiré la loi du 6 janvier 1986. La procédure de délivrance a, elle aussi, supporté de nombreuses réformes et a été **décentralisée** en 1983.

Son régime est fixé par les articles **L. et R. 421-1 et s.** du Code de l'urbanisme. La loi SRU apporte peu de modifications.

> Chapitre I
Objet et caractères

> Section 1
Règles dont le permis assure le respect

§1 Le permis sanctionne les règles d'urbanisme opposables aux particuliers

Il « **ne peut être accordé que si les constructions projetées sont conformes aux dispositions législatives et réglementaires concernant l'implantation des constructions, leur destination, leur nature, leur architecture, leurs dimensions, leur assainissement et l'aménagement de leurs abords** » (art. L. 421-3).

Ces dispositions sont contenues dans les documents locaux d'urbanisme (PLU, plans de sauvegarde, règlements des lotissements), ou dans les réglementations nationales (RNU, constructibilité limitée, lois littoral et montagne)… Le permis doit aussi garantir le respect des **servitudes d'utilité publique** affectant l'utilisation des sols.

§2 Le permis ne sanctionne qu'exceptionnellement les règles de construction

Ces règles que l'on trouve dans le **règlement national de construction** ou dans les **règlements sanitaires locaux** fixent des normes de confort et de sécurité surtout relatives à l'aménagement intérieur et s'imposent aux constructeurs. Elles ne sont pas contrôlées lors de la délivrance du permis, le constructeur s'engageant seulement à les respecter, ce que l'administration pourra vérifier à l'achèvement des travaux.

Deux exceptions se rencontrent concernant les **immeubles de grande hauteur** et les **établissements recevant du public** pour lesquels le permis n'est délivré que s'il est conforme aux règles de sécurité propres à ce type d'immeuble.

§3 Le permis ne sanctionne pas les obligations et les servitudes de droit privé

Le respect de ces **servitudes** : vue, passage, mitoyenneté… sera réclamé devant le juge judiciaire : le permis est toujours délivré « **sous réserve du droit des tiers** ». Mais l'administration lorsqu'elle instruit le permis n'a pas compétence pour en connaître et le permis qui violerait une de ces servitudes ne serait pas de ce fait illégal : CE 18 mars 1983, « *Sieffert* ».

> Section 2
Caractères

§1 Le permis a un caractère réel

Il est délivré en fonction des règles applicables au projet envisagé et non en considération de la personne qui en sera bénéficiaire.

Plusieurs conséquences en découlent. En particulier, la jurisprudence a admis qu'il puisse être **transféré** d'un bénéficiaire à un autre sans qu'il y ait lieu à délivrance d'un nouveau permis. La décision de transfert ne s'analyse pas comme un permis modificatif mais comme le changement de nom du bénéficiaire.

L'autorisation de transfert, qui doit être expresse, se contente de faire état d'un accord entre l'ancien et le futur titulaire du permis.

§2 LE PERMIS DE CONSTRUIRE N'EST PAS UN ACTE D'APPLICATION DES DOCUMENTS D'URBANISME

C'est ce qu'a précisé le Conseil d'État dans l'arrêt « Soc. *Gepro* » du 12 décembre 1986. Il en a déduit que l'illégalité d'un PLU **n'entraîne pas** automatiquement l'illégalité des autorisations délivrées sous son empire.

Il n'en serait autrement que si la disposition réglementaire illégale avait eu pour objet de rendre possible la délivrance du permis contesté.

§3 LE PERMIS A UN CARACTÈRE D'UNIVERSALITÉ ET DE GÉNÉRALITÉ

Du point de vue géographique. Après diverses tribulations et des réglementations limitant le permis à des villes d'une certaine importance ou suffisamment « planifiées », sa délivrance s'impose dans **l'ensemble des communes** quel que soit le chiffre de leur population et qu'elles soient ou non dotées d'un PLU.

Du point de vue des constructeurs. Les **personnes publiques** y sont soumises au même titre que les **personnes privées**. L'article L. 421-1 précise ainsi qu'il « s'impose aux services publics et concessionnaires de services publics de l'État, des régions, des départements et des communes comme aux personnes privées ».

§4 LE PERMIS A UN RÔLE FÉDÉRATEUR

L'exclusivité et **l'unicité** données au permis par la loi de 1943, afin qu'il **tienne lieu des multiples autorisations spéciales** exigées auparavant des constructeurs, n'avaient eu qu'un résultat limité, la loi ne faisant état que de celles prévues par « les lois antérieures » et de nouvelles autorisations étant, depuis, apparues.

La **loi du 31 décembre 1976** donne au permis un rôle de **fédérateur** des diverses autorisations spéciales intéressant la construction projetée. Délivré avec l'accord des administrations compétentes il « **vaut autorisation** » au titre des réglementations spécifiques. C'est le cas pour l'application des règles de protection des monuments historiques, des sites et de l'environnement.

Si les **autorisations spéciales** conservent leur indépendance (cf. autorisation d'une installation classée) leur coordination est assurée lors de l'instruction du permis, soit que l'autorisation spéciale doive être obtenue avant le dépôt du permis (cf. autorisation de défrichement, d'abattage d'arbres), soit que son instruction intervienne en même temps que celle du permis.

> ## Section 3

Permis de construire et droit de propriété

§1 Le droit de construire est un attribut du droit de propriété « droit de jouir et de disposer des choses de la manière la plus **absolue** » (art. 450, C. civ.), le propriétaire du sol pouvant « faire toutes les plantations et constructions qu'il juge à propos » (art. 522, C. civ.) et « toute personne physique et morale (ayant) droit au respect de ses biens (art. 1ᵉʳ du Protocole additionnel de la Convention européenne des droits de l'homme).

Selon le droit commun des libertés publiques et des droits individuels on peut poser le principe que la liberté de construire est la règle et les limites apportées à cette liberté, l'exception.

C'est ce qu'exprime **l'art. L. 112-1, C. urb.** qui dispose que « le droit de construire est **attaché à la propriété du sol** », manifestation la plus emblématique de l'usus, l'un des trois attributs traditionnel du droit de propriété.

§2 La fonction sociale (cf. L. Duguit) du droit de propriété est désormais admise par tous et le permis de construire peut s'analyser comme la mise en œuvre d'une **prérogative de puissance publique exercée dans l'intérêt commun** et participant de l'exercice d'une véritable mission de service public : celle de l'aménagement rationnel et équilibré des agglomérations.

C'est ce que le **Conseil constitutionnel** a eu l'occasion de reconnaître à plusieurs reprises : « Les finalités et les conditions d'exercice du droit de propriété ont subi une évolution caractérisée… par des **limitations exigées par l'intérêt général** » (**décisions des 16 janvier et 11 février 1982** précitées).

• Exercée à l'origine surtout au nom de l'État, cette mission de gestion du territoire « patrimoine commun de la Nation » (**art. L. 110**) est confiée principalement, depuis 1983, aux **autorités communales**, qui ont à leur disposition un instrument particulièrement efficace : le PLU.

• Celui-ci établit des **servitudes** qui concernent notamment l'utilisation du sol, la hauteur des constructions, la proportion des surfaces bâties et non bâties dans chaque propriété, l'interdiction de construire dans certaines zones… (art. **L. 160-5**) qui ne donnent pas droit – sauf rares exceptions – à une compensation ou à une réparation. Ce principe de **non-indemnisation des servitudes d'urbanisme** (cf. *supra*) règle nécessaire mais qui crée fatalement une grande inégalité entre les propriétaires de terrains constructibles et ceux de terrains frappés de limitations et d'interdits, est un des aspects de la « socialisation » du droit de construire.

§3 L'insécurité du droit de construire

Que l'exercice de ce droit soit soumis à autorisation préalable est une règle qui ne saurait être remise en cause. Encore convient-il de ne l'exiger qu'à bon escient et de ne pas lui donner un champ d'application excessif.

Après une période de rigueur et de généralisation, en réaction contre une situation désordonnée, il est apparu nécessaire de **limiter le champ d'application** du permis. Ce fut l'objet de la réforme introduite par la **loi du 6 janvier 1986**, encore que la **déclaration préalable** qui, dans certains cas remplace le permis, soit parfois analysée comme un véritable permis tacite (cf. *infra*).

L'insécurité du droit de construire n'a pas pour origine le permis lui-même mais la trop grande **flexibilité** et l'**incertitude** des règles d'urbanisme sur lequel il repose.

Si un procès doit être intenté ce n'est pas au permis qu'il convient de le faire mais à l'arbitraire qui peut s'installer dans le zonage des PLU, à l'usage abusif des droits de préemption, à la variabilité de l'instauration du COS, comme si les pouvoirs publics disposaient d'un domaine « éminent » sur le sol français.

C'est à ce « **flou** » du droit des sols, à l'inflation, l'obscurité et l'instabilité des normes que les réformes doivent s'adresser non au permis lui-même qui n'est que la consécration concrète de ces règles.

> CHAPITRE II
CHAMP D'APPLICATION

L'uniformité géographique du permis est totale : les mêmes règles s'appliquent quelles que soient la localisation ou la dimension des communes.

L'identité du constructeur n'est pas prise en considération, en particulier il importe peu que le constructeur soit une personne publique ou privée.

La détermination des opérations et travaux assujettis au permis pose des problèmes plus délicats.

La loi du 6 janvier 1986 a dressé une liste d'opérations placées hors du champ d'application du permis et a, par ailleurs, décidé de ne soumettre certains travaux qu'à un régime de déclaration préalable. **Trois situations** peuvent ainsi se rencontrer.

> SECTION 1
Travaux soumis à permis de construire

§1 L'ARTICLE L. 421-1

« **Quiconque désire entreprendre ou implanter une construction à usage d'habitation ou non, même ne comportant pas de fondations, doit, au préalable obtenir un permis de construire... le même permis est exigé pour les travaux exécutés sur les constructions existantes lorsqu'ils ont pour effet d'en changer la destination, de modifier leur aspect extérieur ou leur volume ou de créer des niveaux supplémentaires.** »

§2 CONSTRUCTIONS NOUVELLES

La **destination** importe peu : le bâtiment peut être ou non à usage d'habitation et il peut s'agir d'ouvrages et d'installations (cf. canalisations d'une certaine importance) ne constituant pas à proprement parler des bâtiments.

Il n'est pas nécessaire que les constructions comportent des **fondations** (cf. les mobil-homes peuvent être assujettis). Seul le caractère amovible dispense du permis mais pas nécessairement le caractère précaire. L'implantation pour une longue durée d'un vaste chapiteau peut justifier un permis. Mais lorsque la construction est destinée à être régulièrement démontée, le permis n'est pas exigé lors de chaque réinstallation.

Afin d'éviter la multiplication des demandes, la loi SRU admet qu'un seul permis suffit qui précisera les périodes de l'année où ces installations seront démontées. Un nouveau permis ne sera plus exigé pour la réinstallation.

§3 TRAVAUX SUR LES CONSTRUCTIONS EXISTANTES

Les travaux **soumis à permis** sont ceux qui ont pour objet :
– de **modifier l'aspect extérieur de l'immeuble ou son volume** (surélévation d'une toiture, élargissement, création ou suppression d'ouvertures) et de **créer des niveaux supplémentaires**. Certains de ces travaux sont exemptés de permis depuis 1986 et soumis à déclaration préalable (cf. exemption pour la création d'une surface de plancher inférieure ou égale à 20 m²) ;

– de changer de destination de la construction.

L'interprétation de cette notion peut prêter à controverses : cf. les juridictions divergent sur les conséquences de la transformation d'un hôtel en logements et l'inverse. Le Conseil d'État retient désormais comme critère essentiel de l'exigence d'un permis l'importance des travaux projetés.

> SECTION 2

Travaux exemptés de permis de construire et de déclaration préalable (art. R. 421-1)

Issu du décret du 15 janvier 1986, l'article **R. 421-1** énumère **dix catégories** de travaux ou d'ouvrages qui échappent à toute autorisation et même déclaration en raison de leur **nature** ou de leur **faible importance** : canalisations, lignes ou câbles souterrains et installations de stockage de gaz ou fluides, ouvrages d'infrastructure de voies de communication et d'infrastructure portuaire ou aéroportuaire, installations temporaires de chantiers, mobilier urbain sur le domaine public, statues, monuments et œuvres d'art d'une hauteur inférieure à 12 m et d'un volume inférieur à 40 m³, terrasses dont la hauteur au-dessus du sol n'excède pas 0,60 m ; poteaux, pylones de hauteur inférieure à 12 m et antennes de dimension inférieure à 4 m… Cette liste n'est pas limitative.

> SECTION 3

Travaux soumis à déclaration préalable

Dans un but de simplification, la loi du **6 janvier 1986** a supprimé l'exigence du permis de construire pour adapter le contrôle à la nature et à l'importance des travaux. Une **déclaration préalable** de travaux est cependant exigée que d'aucuns analysent comme un véritable permis tacite simplifié.

§1 TRAVAUX CONCERNÉS

Les articles **L. 422-1, R. 422-1** et **R. 422-2** déterminent **plusieurs catégories** de travaux soumis à déclaration préalable :

– les constructions couvertes par le **secret de la défense nationale** ;

– diverses **installations techniques** nécessaires au fonctionnement des services publics de transport et de distribution d'eau, de gaz, d'électricité ;

– **divers travaux et ouvrages de faible importance** (ravalement, habitations légères de moins de 35 m², serres de moins de 2 000 m², surfaces nouvelles de plancher inférieures à 20 m²) ;

– travaux sur les **immeubles classés** qui sont soumis à une autorisation spéciale au titre de la législation sur les monuments historiques ;

– mais la surélévation d'un étage, afin d'aménager un restaurant de 1 000 m² du **théâtre des Champs-Élysées**, classé monument historique, modifie l'aspect extérieur et le volume. Elle entraîne un changement partiel de destination et requiert la délivrance d'un permis de construire : CE 16 décembre 1994, « *SCI Théâtre Champs-Élysées* » et non une simple déclaration préalable de travaux.

§2 PROCÉDURE

Elle suit les mêmes phases que celle d'une demande de permis : **dossier** de demande comportant un certain nombre de pièces obligatoires, **instruction** par les différents services, **consultations**. Les autorités compétentes pour prendre la décision sont les mêmes.

Les **délais d'instruction** sont plus brefs : **un à deux mois** maximum. La décision a normalement un caractère **implicite** et résulte d'une absence d'opposition de l'autorité compétente.

Mais l'administration peut faire **opposition** aux travaux par une décision expresse motivée. L'opposition tardive peut être appréciée comme un **retrait** de la décision implicite d'acceptation si elle est faite dans les 2 mois de la publication.

L'affichage en **mairie** et **sur le terrain** de la mention de non-opposition est requis. Les décisions consécutives à une déclaration de travaux sont susceptibles de recours contentieux. En cas d'infraction, une action peut être formée devant les juridictions répressives aux mêmes conditions que pour un permis (art. L. 480-1, cf. *infra*).

On a pu faire valoir que la procédure de déclaration préalable, conçue pour alléger les dossiers et abréger les délais d'instruction ne remplissait pas toujours son rôle et que, lorsqu'elle se transforme en opposition expresse aux travaux, elle ressemble beaucoup au refus de permis.

En pratique, le **succès** de la formule est réel, à la différence de l'échec de la première tentative en 1969. La proposition de supprimer la déclaration faite au cours de la discussion de la loi SRU, n'a pas eu de suite.

> CHAPITRE III

DÉLIVRANCE

Les modalités ont été fortement réformées par la loi de décentralisation du 7 janvier 1983. Elles s'appliquent aux autres autorisations spéciales : permis de démolir, coupes et abattages d'arbres… Elles figurent aux articles **L. 421-2 et s. et R. 421-1-1 et s.**

> SECTION 1

Autorités compétentes

§1 COMMUNES DOTÉES D'UN PLU OU D'UNE CARTE COMMUNALE

La compétence est dévolue au **maire** qui prend la décision au nom de la commune, laquelle peut décider de déléguer cette compétence à un **EPCI** délégation confirmée après chaque renouvellement du conseil municipal. C'est le président de l'EPCI qui, dans ce cas, prend la décision.

Le transfert a un caractère définitif, l'annulation du PLU n'entraîne pas de changement.

§2 COMMUNES NON DOTÉES D'UN PLU

La délivrance des autorisations de construire est prise par le **maire** ou le **préfet** mais **au nom de l'État**. Le **préfet** intervient lorsque le maire et la DDE ont émis des avis contraires, lorsqu'est opposé un sursis à statuer, lorsqu'est accordée une dérogation ou une adaptation mineure. Il est compétent pour les constructions édifiées pour le compte de l'État, du département, de la région, pour les immeubles de grande hauteur, pour les immeubles à usage commercial ou industriel ou de bureaux dont la SHON excède 1 000 m²… (cf. l'énumération de l'article **R. 421-36**).

Lors de sa délibération approuvant la carte communale le conseil municipal peut décider que le permis sera délivré au nom de l'État.

Le **ministre** peut **évoquer** les dossiers et prendre la décision.

§3 AUTRES HYPOTHÈSES DE DÉLIVRANCE « AU NOM DE L'ÉTAT »

– Constructions pour lesquelles un changement de destination doit être autorisé ;
– ouvrages de production, transport, stockage d'énergie ;
– constructions ou travaux à l'intérieur du périmètre des opérations d'intérêt national, à proximité d'un ouvrage militaire ou à l'intérieur d'un polygone d'isolement.

> SECTION 2

Demande

§1 L'AUTEUR DE LA DEMANDE

Celle-ci doit être présentée « **soit par le propriétaire du terrain ou son mandataire, soit par une personne justifiant d'un titre l'habilitant à construire sur le terrain, soit par** une personne ayant qualité pour bénéficier de l'expropriation dudit terrain pour cause d'utilité publique » (art. R. 421-1-1).

Le « **titre habilitant à construire** » peut être un bail, y compris emphythéotique, une promesse de vente. Le propriétaire peut présenter sa demande par un intermédiaire tel un architecte, un géomètre, un bureau d'études…, le mandat étant joint à la demande.

Il est admis que l'administrateur puisse se borner à vérifier la qualité de « **propriétaire apparent** », ne pouvant s'immiscer dans un litige privé entre le demandeur du permis et une personne lui contestant son droit de propriété. Le juge administratif se montre lui-même réservé à l'égard de ces questions de droit privé encore qu'il tende, dans certains cas, à exercer un contrôle plus étroit : cf. contrôle de la régularité de l'**accord donné** au pétitionnaire **par la copropriété.**

§2 LE DÉPÔT DE LA DEMANDE

A. Contenu

La demande, qui comporte des indications sur l'identité du demandeur, la situation du terrain, la nature des travaux, la destination des constructions…, est accompagnée d'un **dossier** comprenant, en particulier, un plan de situation du terrain, un plan des constructions à édifier, un plan des façades. Selon les cas, des **pièces complémentaires** sont exigées : **étude d'impact** pour les projets d'une SHON supérieure à 3 000 m² situés dans une commune non dotée d'un PLU, autorisation d'abattage d'arbres… (**art. R. 421-2**). La **loi « paysages » du 8 janvier 1993** introduit un « **volet paysager** » dans le dossier de demande du permis. Des plans, documents photographiques et graphiques, donnant des informations sur l'insertion dans l'environnement, l'impact visuel des bâtiments, le traitement de leurs accès et abords, seront fournis.

L'obligation du **recours à un architecte**, introduite dans la **loi du 3 janvier 1977** n'a qu'une portée limitée du fait de la multiplication des **exceptions** : cf. échappent au « **projet architectural** » les constructions **autres qu'agricoles et celles** dont la SHON est inférieure à 170 m² (le seuil est de 800 m² pour les constructions agricoles) (**art. R. 421-1-2**).

B. Destinataires

Établie en quatre exemplaires, la demande est adressée au **maire** (lettre recommandée a.r. ou dépôt contre décharge), système dit du « **guichet unique** » depuis 1983. Le maire se charge des transmissions, en particulier au préfet (**art. R. 421-9**).

Afin d'assurer une meilleure information des tiers, le maire procède à l'**affichage en mairie** des éléments essentiels du dossier. L'affichage sur le terrain n'a pas été prévu.

§3 L'INSTRUCTION DE LA DEMANDE

A. Services compétents

• **Permis délivrés au nom de l'État.**
L'instruction est confiée à la **DDE**, le maire donnant son avis dans le délai d'un mois.

● **Permis délivré au nom de la commune.**
L'instruction est normalement assurée par les **services municipaux**. Les communes peuvent cependant, par **convention**, confier l'instruction soit aux services d'une autre commune soit à la DDE (ce qui est le cas le plus fréquent), la loi du 7 janvier 1983 ayant prévu que le maire pouvait disposer « **gratuitement et en tant que de besoin** » des services extérieurs de l'État. La convention de mise à disposition peut ne porter que sur certaines autorisations.

B. Dossier incomplet (art. R. 421-13)

Afin d'éviter que l'administration tente d'échapper aux délais précis d'instruction (cf. *infra*) en prétextant du caractère **incomplet** du dossier, les règles suivantes s'appliquent :
  – si le service instructeur constate que des pièces manquent dans le dossier, l'autorité compétente pour statuer doit, dans les 15 jours, **inviter** le pétitionnaire à lui adresser ces pièces ;
  – le pétitionnaire ayant produit ces documents, il est fait application de l'article R. 421-12 et le délai d'instruction part de la réception des pièces complétant le dossier.

C. Requête en instruction (art. R. 421-12 et R. 421-14)

Lorsque le dossier est complet, **l'article R. 421-12** dispose que l'autorité compétente fait connaître au demandeur dans les 15 jours de la demande en mairie, par une **lettre de notification** (recommandée a.r.) le numéro d'enregistrement de la demande et la **date avant laquelle**, compte tenu des délais réglementaires d'instruction, la décision devra lui être notifiée.

Le **délai d'instruction** part de la réception de cette lettre, laquelle avise le demandeur que si aucune décision ne lui a été mentionnée avant cette date, **la lettre vaudra permis de construire tacite.**

Pour parer à l'inertie de l'administration et éviter qu'elle tarde à adresser cette lettre, l'**art. R. 421-14** a mis au point une procédure efficace : la **requête en instruction**. Si dans les **15 jours** de la demande aucune lettre (précisant les délais d'instruction ou demandant les pièces complémentaires) n'est parvenue, le pétitionnaire peut **mettre en demeure** l'administration d'instruire. Si dans les **8 jours** de cette requête, la lettre n'a toujours pas été notifiée, le délai d'instruction part de la date de réception de la mise en demeure. **La lettre de mise en demeure vaut permis tacite** dans le délai de droit commun d'instruction de 2 mois si aucune décision expresse n'a été notifiée.

D. Délais d'instruction et consultations (art. R. 421-18)

La durée de droit commun de l'instruction est de **2 mois**. Elle est de **3 mois** pour les projets de plus de 200 logements et pour les constructions à usage industriel et commercial ou de bureaux dépassant 2 000 m². Elle est, en outre, **majorée d'un mois** lorsqu'il y a lieu de consulter des services ou autorités dépendant d'un autre ministère que celui chargé de l'urbanisme ou une commission départementale ou régionale. Elle est encore majorée **d'un mois** lorsqu'il y a lieu d'instruire une dérogation ou une adaptation mineure. Enfin un délai spécial de **6 mois** est prévu dans l'hypothèse de la consultation d'une commission nationale ou de la commission départementale d'urbanisme commercial.

Le service instructeur procède à un certain nombre de **consultations obligatoires** : avis conforme du préfet lorsque la construction est située sur une partie du territoire communal non couverte par un PLU ou un document en tenant lieu, **avis conforme de l'ABF** pour les projets situés aux abords des MH ou dans le périmètre de secteurs sauvegardés.

Le permis ne peut être accordé qu'après une **enquête publique**, selon les modalités de la loi du 12 juillet 1983, pour des projets lourds susceptibles de porter atteinte à l'environnement : création d'une SHON nouvelle **supérieure à 5 000 m²** sur le territoire d'une commune non dotée d'un PLU ; immeubles d'une hauteur supérieure ou égale à 50 m ; SHON nouvelle supérieure à 10 000 m² pour les immeubles de commerce ; équipements sportifs ou de loisirs pouvant accueillir plus de 5 000 spectateurs.

Autorisation de synthèse, le permis **globalise** la plupart des autorisations spécifiques données par les diverses administrations concernées. L'instruction présente alors un **caractère mixte**, le service instructeur devant recueillir l'avis conforme ou l'accord des autorités chargées d'appliquer ces législations spécifiques. Le permis « **vaut autorisation au titre de ces législations** ».

> SECTION 3
Décision

Elle emprunte plusieurs formes et son contenu varie.

§1 PERMIS EXPRÈS — PERMIS TACITE

A. Décision expresse

Elle prend la forme d'un **arrêté** du maire, du président de l'EPCI, du préfet, ou du ministre s'il décide d'évoquer.

Elle comporte un certain nombre de mentions dont l'omission (cf. les visas) peut constituer un vice de forme substantiel. Elle doit **préciser** les recours ouverts, les délais ainsi que la faculté de retrait de la décision.

Doivent être **motivées** : les décisions de refus, celles assorties de prescriptions spéciales, les sursis à statuer, les décisions comportant une dérogation ou une adaptation mineure (**art. R. 421-29**).

B. Permis tacite

Contrairement au droit commun selon lequel du silence de l'administration naît une décision implicite de rejet en matière de permis de construire le **silence vaut décision implicite d'octroi**.

Ce permis intervient à l'expiration du délai d'instruction (2 mois ou plus, cf. *infra*) et la lettre de notification ayant précisément indiqué ce délai, le pétitionnaire est informé du jour où, à défaut de réponse expresse, il sera titulaire d'un permis tacite (**art. R. 421-12**).

Si le permis est entaché d'illégalité, l'administration doit le **retirer** dans un délai de quatre mois CE Ass. 26 octobre 2001 « *Ternon* ». Un **refus tardif** de permis, s'il intervient dans ce délai, **vaut retrait** du permis tacite.

Les dispositions de la **loi du 12 avril 2000** (art. 23) qui, mettant fin à la jurisprudence « **Eve** » du 14 novembre 1969, n'autorisent le retrait d'une décision implicite créatrice de droits que dans un délai de deux mois, concernent les situations où les tiers ne sont pas informés, ce qui n'est pas le cas pour le permis de construire.

Le sursis à exécution d'un permis tacite peut être prononcé par le juge administratif.

Dans un certain nombre d'hypothèses la décision **ne peut être tacite**, cf. permis soumis à enquête publique, constructions situées dans le champ de visibilité d'un immeuble inscrit ou classé, situées dans une réserve naturelle ou dans une ZPPAUP. Le Conseil d'État a admis qu'un permis comportant une dérogation (nécessairement motivée) pouvait cependant être tacite : CE 3 juillet 1981, « *SAM Buisson* ».

On estime à moins de 1 % le nombre des permis délivrés tacitement.

§2 PERMIS SIMPLE. PERMIS SOUMIS À CONDITIONS PARTICULIÈRES

A. Permis simple

Il est accordé **sans condition** et n'a pas à être motivé.

B. Permis conditionnel

Il est de pratique courante. L'autorisation est alors assortie de conditions et impose au constructeur des **prescriptions spéciales** d'ordre technique : sécurité (immeuble de grande hauteur), salubrité (assainissement), ou tendant à la protection de l'environnement (écrans de verdure). **L'obligation de réaliser certains équipements** (cf. aires de stationnement) et les participations financières ou en nature conditionnent parfois la délivrance du permis.

C. Permis précaire

Normalement accordé pour une implantation définitive, le permis peut exceptionnellement l'être **à titre seulement précaire** sur un terrain classé « **emplacement réservé** » dans un PLU ou pour un bâtiment industriel dans une zone affectée par un PLU à un autre usage.

D. Permis modificatif

Il peut être accordé, après la délivrance du permis initial si le projet ne fait l'objet que de changements mineurs et limités. Il est assez souvent sollicité en pratique bien que non prévu par les textes.

E. Permis de régularisation

Il peut intervenir lorsqu'une construction édifiée sans autorisation **répond** cependant **aux conditions légales** et aurait été accordée si elle avait été demandée dans les délais normaux. Bien que le permis ait un caractère préalable, la régularisation est admise qui n'exonère pas le constructeur de sa responsabilité pénale (cf. *infra*).

§3 SURSIS À STATUER

C'est une **mesure de sauvegarde** qui donne à l'administration la possibilité de différer sa réponse afin de ne pas contrarier la réalisation de certains projets généralement d'aménagement. Il a un caractère facultatif (art. L. 111-7).

Il peut être opposé dans plusieurs hypothèses limitatives et prévues par les textes :

– travaux réalisés dans le périmètre d'une **opération d'utilité publique**, dès la décision d'enquête préalable (**art. L. 111-9**) ;

– travaux localisés sur des terrains **affectés à la réalisation de travaux publics**, d'une **opération d'intérêt national**, travaux situés dans le périmètre d'une ZAC, d'un **secteur sauvegardé** ;

– projets de nature à **compromettre ou à rendre plus onéreuse l'exécution d'un PLU** prescrit ou mis en révision.

La **durée du sursis** à statuer est limitée en principe à **2 ans**. Un second sursis peut être accordé, sur le fondement d'un autre motif sans que la durée totale puisse excéder 3 ans.

Des servitudes nouvelles sont prévues par la **loi SRU** (art. L. 123-2, a), dont les dispositions ne sont pas très claires : le PLU peut, dans un périmètre délimité pour une durée de 5 ans au plus, interdire les constructions d'une certaine superficie dans **l'attente de l'approbation d'un projet global**. Les travaux de réfection et l'extension limitée des constructions sont autorisées.

§4 Dérogations et adaptations mineures

A. Distinction

La **dérogation** est une **mise à l'écart** de la règle, **l'adaptation mineure** n'est qu'un assouplissement de la règle. Les abus dans l'usage des dérogations ont conduit le législateur à les limiter sinon les supprimer lorsqu'il y a un PLU.

B. Dérogations

Elles ne sont admises qu'en ce qui concerne le Règlement national d'urbanisme en ses **règles impératives** et en ce qui concerne les **servitudes d'utilité publique**. Les dérogations aux dispositions du PLU sont interdites depuis 1976 (cf. *infra*).

Dans l'arrêt CE 18 juillet 1983, « *Ville de Limoges* », le **contrôle de proportionnalité** a été appliqué aux dérogations qui ne sont régulières que si les atteintes que la dérogation porte à l'intérêt général que la règle d'urbanisme écartée a pour vocation de protéger ne sont pas excessives eu égard à l'intérêt général que poursuit la dérogation.

C. Adaptations mineures

Elles sont admises en ce qui concerne **les PLU** et les documents en tenant lieu ainsi qu'en ce qui concerne les règlements des lotissements. L'article **L. 123-1** n'autorise, s'agissant des PLU, que « les adaptations mineures **rendues nécessaires par la nature du sol, la configuration des parcelles ou le caractère des constructions avoisinantes** » (cf. *supra*).

La compétence de l'administration est liée par ces conditions et le juge apprécie si un **seuil de gravité** n'a pas été franchi rendant l'adaptation proche d'une dérogation à la règle.

> Chapitre IV
Mise en œuvre

Acte créateur de droits le permis reste, durant un délai bref, **fragile**, pouvant être **retiré**, faire l'objet d'un **recours contentieux** ou devenir **caduc**.

L'exécution des travaux peut faire l'objet d'un contrôle afin de vérifier leur conformité à l'autorisation donnée et de permettre la délivrance d'un certificat de conformité.

> Section 1
Fragilité de l'autorisation

§1 Mesures de publicité

Un **double affichage** en mairie et sur le terrain est obligatoire et conditionne le point de départ des délais de recours contentieux : CE 25 juillet 1979, « *SCI Les Hortensias* ». Dans l'hypothèse d'un permis tacite, c'est une copie de la lettre adressée au pétitionnaire en réponse à sa demande qui fait l'objet d'affichage, lettre lui notifiant les délais d'instruction et la date d'obtention du permis tacite.

A. Affichage en mairie

Il intervient dans les 8 jours de la délivrance du permis. Sa durée est de **2 mois**. Il doit être fait dans des locaux accessibles au public. Un registre constate l'exécution de cette formalité.

B. Affichage sur le terrain

Indispensable à une bonne information des **tiers**, il doit être complet et fait « de **manière visible de l'extérieur…** dès la notification d'octroi de la décision et pendant toute la durée du chantier » (**art. R. 421-39**). La preuve de l'affichage doit être rapportée par le pétitionnaire. Le défaut d'affichage est sanctionné pénalement.

La jurisprudence sur l'affichage est fournie, cf. CE 27 juillet 1984, « *Métral* », panneau placé sur une voie privée de lotissement et non visible de l'extérieur.

§2 Recours contentieux

Le délai de 2 mois du recours pour excès de pouvoir ne commence à courir qu'à compter de **l'accomplissement du double affichage**.

Revenant sur le système antérieur qui ne faisait partir ce délai qu'à l'expiration d'une période continue de 2 mois d'affichage en mairie et sur le terrain (ce qui portait au minimum à 4 mois le délai de recours des tiers), le **décret du 28 avril 1988** ramène le **point de départ au début de la période d'affichage** : le délai de recours, lorsque l'affichage en mairie et sur le terrain a été continu, est désormais le délai ordinaire de 2 mois à **partir du premier jour du plus tardif des deux affichages (art. R. 490-7)**.

Durant ce délai, le permis peut faire l'objet d'un retrait. La jurisprudence **assimile un refus exprès** de permis qui interviendrait durant cette période – le pétitionnaire se croyant titulaire d'un permis tacite – à un **retrait**.

§3 CADUCITÉ (art. R. 421-32)

Le permis est **périmé** si les constructions ne sont pas entreprises **dans un délai de 2 ans** à compter de la notification ou de la délivrance tacite.

Il en est de même si les travaux sont **interrompus pendant un délai supérieur à une année.**

Une décision de sursis à exécution interrompt le délai.

La jurisprudence doit interpréter la notion de « **commencement des travaux** » qui interrompt la péremption. Elle exige des travaux liés au programme de construction autorisé auxquels elle n'assimile pas les travaux préparatoires de faible importance, engagés à la hâte pour échapper à la caducité : CE 3 janvier 1975, « *SCI foncière Cannes-Bennefiat* ».

Le délai peut être **prorogé pour un an** si les prescriptions d'urbanisme n'ont pas évolué de façon « défavorable » à l'égard du bénéficiaire du permis. La demande de prorogation doit parvenir à l'administration mais avant l'expiration du délai de validité.

La réalisation d'un diagnostic et éventuellement de fouilles prescrites par le préfet de région (v. loi du 17 janvier 2001 sur l'archéologie préventive) prolonge la durée de validité du permis.

> SECTION 2

Exécution et fin des travaux

§1 CONTRÔLE EN COURS D'EXÉCUTION DES TRAVAUX (art. L. 460-1)

Averties du commencement des travaux par une **déclaration d'ouverture du chantier** adressée au maire de la commune, les autorités administratives : préfet, maire, fonctionnaires et agents assermentés peuvent visiter à tout moment les chantiers en cours, procéder aux vérifications qu'ils jugent utiles et se faire communiquer tous documents techniques se rapportant à la réalisation des travaux.

Ce **droit de visite et de communication** se prolonge 2 ans après l'achèvement des travaux.

Si des infractions sont constatées, l'interruption des travaux peut être ordonnée.

§2 DÉCLARATION D'ACHÈVEMENT ET CERTIFICAT DE CONFORMITÉ (art. R. 460-1 à R. 460-6)

Dans les 30 jours qui suivent la fin des travaux, le bénéficiaire du permis doit adresser au maire de la commune une **déclaration d'achèvement de travaux** qui permet au service instructeur de s'assurer de leur conformité par rapport à ceux autorisés par le permis.

Ce contrôle s'applique à l'implantation des constructions, leur destination, leur nature, leur aspect extérieur, leurs dimensions et l'aménagement de leurs abords, c'est-à-dire au respect des seules règles d'urbanisme et non de celles de construction.

Le **récolement** sur place des travaux est, en général, facultatif.

Pour attester de la conformité de la construction au permis, l'autorité compétente en matière d'octroi délivre un **certificat de conformité**.

Un certificat **tacite** est obtenu en cas de non réponse dans les 3 mois du dépôt de la déclaration d'achèvement. Il a pour principal effet de soustraire le constructeur aux sanctions pénales.

Le certificat peut faire l'objet d'un **recours des tiers, sans condition de délai** car il ne fait l'objet d'aucune publicité.

TITRE III
Les autorisations spécifiques d'utilisation du sol

Calquées le plus souvent sur le régime du permis de construire, ces autorisations concernent des modes particuliers d'occupation du sol et peuvent être regroupées **selon leur objet** : permis de démolir ; autorisations relatives au camping et caravaning ; autorisations relatives aux espaces boisés ; autorisations relatives à certains locaux professionnels : urbanisme commercial, entreprises en région parisienne.

On rappellera qu'une autorisation spécifique est exigée pour les travaux concernant les :

– **parcs d'attraction**, aires de jeux et de sports ouverts au public ;

– **aires de stationnement** ouvertes au public ;

– **dépôts de véhicules** neufs, d'occasion ou hors d'usage ;

– **garages de caravanes** ;

– **affouillements et exhaussements** du sol (de plus de 100 m² de surface et 2 m de profondeur ou hauteur) (voir art. **R. 442-1 à R. 442-13**) ;

– réalisation et mise en exploitation des **remontées mécaniques** ainsi que l'aménagement de **pistes de ski alpin** (art. **L. 445-1**) ;

– ouverture de terrains destinés à la pratique de **sports motorisés** (loi du 3 janvier 1991).

> CHAPITRE I

PERMIS DE DÉMOLIR

La loi du 31 décembre 1976 a mis au point un permis de démolir **unique**, regroupant les régimes dispersés antérieurs (art. **L. 430-1 à L. 430-9**).

> SECTION 1

Champ d'application

Contrairement au permis de construire, il ne s'applique pas sur l'ensemble du territoire national **mais seulement dans des communes d'une certaine importance** : celles dont la population est égale ou supérieure à 10 000 habitants et celles situées dans un rayon de 50 km autour des anciennes fortifications de Paris, ou dans des secteurs qu'il convient de protéger pour des raisons d'esthétique urbaine : secteurs sauvegardés, zones de visibilité des monuments historiques et des sites, espaces naturels sensibles, ZPPAUP.

Les **travaux** visés sont **ceux qui entraînent la disparition totale ou partielle du bâtiment** et ceux qui rendraient l'utilisation des locaux dangereuse ou impossible. Pour un exemple de démolition partielle, voir CE 13 mars 1992, « *Ass. sauvegarde de Chantilly* ».

Certaines **exemptions** sont prévues **(art. L. 430-3)**. Elles concernent en particulier les démolitions d'immeubles menaçant ruine, celles effectuées en vertu d'une décision de justice, celles de bâtiments frappés d'une servitude de reculement.

Lorsque la réalisation d'une construction nécessite la démolition d'un bâtiment existant, le permis de construire ne peut, en principe, tenir lieu de permis de démolir. Le constructeur doit obtenir les **deux autorisations** dont l'instruction peut être menée conjointement.

Les conditions dans lesquelles un immeuble a été irrégulièrement démoli n'affectent pas la légalité d'un nouveau permis de construire : CE 5 mars 1982, « *Union régionale pour la défense de l'environnement en Franche Comté* ».

> SECTION 2

Motifs de refus

Deux raisons principales peuvent justifier un refus de permis :

● **L'intérêt social**

Pour éviter la démolition systématique de logements au cœur des villes et leur remplacement par des immeubles de bureaux ou de « standing » générateurs de ségrégation sociale, il est prévu que le permis puisse être refusé ou n'être accordé que sous condition, « si dans un **intérêt social** il est nécessaire de **sauvegarder le patrimoine immobilier bâti** » (art. **L. 430-5**).

L'une des conditions peut être le relogement des occupants.

● **La conservation du patrimoine architectural et urbain.**

Le permis peut être refusé ou accordé conditionnellement « si les travaux envisagés sont de nature à compromettre la protection ou la mise en valeur des quartiers, des monuments et des sites ».

Délivrance

La procédure a été **décentralisée** sur le modèle de celle du permis de construire. Certaines particularités se rencontrent cependant.

Le délai d'instruction est uniforme : **4 mois** et on assiste en général à un partage du pouvoir de décision entre l'autorité compétente : **maire** ou **préfet** et d'autres autorités dont l'**avis conforme** est exigé : cf. avis conforme de l'ABF lorsqu'il est en jeu la protection du patrimoine architectural et urbain ; avis du préfet lorsque le permis est exigé pour des raisons sociales.

L'absence de notification dans un délai de 4 mois équivaut à l'octroi d'un permis **tacite**.

Un **double affichage** de la décision en mairie et sur le terrain est requis.

Le permis est **périmé** si la démolition n'est pas entreprise dans un délai de 5 ans.

La démolition sans permis est passible de sanctions pénales et civiles.

> CHAPITRE II

AUTORISATIONS RELATIVES AU CAMPING, AU CARAVANING ET À L'HABITAT LÉGER DE LOISIRS

Différenciés par la nature de l'habitat, le camping et le caravaning ont vu leur régime, auparavant soumis à des réglementations éparses, unifié et intégré en 1984 au Code de l'urbanisme (**art. L. 443-1 à L. 443-2 et R. 443-1 à R. 443-16**). L'habitat léger de loisirs fait l'objet d'une réglementation spécifique codifiée aux **art. R. 444-1 à R. 444-4**.

> SECTION 1

Interdictions

Si le principe de la **libre pratique** du camping est reconnu « avec l'accord de celui qui a la jouissance du sol » (**art. R. 443-6**), des règles nationales ou locales peuvent apporter d'importantes restrictions.

Règles nationales. Le camping et le caravaning sont **interdits** sur l'emprise des routes et voies publiques, sur les rivages de la mer, sur la bande littorale des 100 m, ainsi que sur les sites classés ou inscrits, dans les zones de protection des MH et des sites, dans les ZPPAU. Le stationnement des caravanes est de surcroît interdit dans les espaces boisés classés et dans les forêts classées.

Règles locales. Des arrêtés d'interdiction, en dehors de terrains aménagés à cet effet, peuvent être pris soit par le maire, soit par le préfet sur demande et avis du conseil municipal. Les **motifs d'interdiction** limitativement énumérés concernent soit le maintien de la salubrité, sécurité ou tranquillité publique, soit la protection des paysages naturels ou urbains. En ce qui concerne les interdictions dans un but de police générale, elles ne doivent être ni excessives ni disproportionnées avec les risques à prévenir.

> SECTION 2

Stationnement des caravanes

La **caravane** est définie comme un véhicule qui, « équipé pour le séjour ou l'exercice d'une activité, **conserve en permanence des moyens de mobilité** lui permettant de se déplacer lui-même ou d'être déplacé par simple traction » (**art. R. 443-2**).

Une **autorisation de stationnement** doit être obtenue du propriétaire du terrain en cas de stationnement pendant plus de 3 mois par an, consécutifs ou non. Cette autorisation n'est pas nécessaire si le stationnement a lieu sur les **terrains aménagés** pour le camping et le caravaning, les villages de vacances ou sur le terrain où est implantée la résidence de l'utilisateur.

> SECTION 3

Aménagement des terrains de camping et caravaning

Une **autorisation est exigée** de toute personne recevant de façon habituelle sur son terrain soit plus de **vingt** campeurs sous tente, soit plus de **six** tentes ou caravanes à la fois.

L'autorisation est précédée d'une **enquête publique** lorsqu'elle concerne la création de plus de 200 nouveaux emplacements et que la commune n'est pas dotée d'un PLU.

Lorsque ce même seuil est dépassé, une **étude d'impact** est aussi nécessaire.

L'autorisation donnée par le maire ou le préfet fixe le nombre maximum d'emplacements et les normes d'équipement à respecter. L'exploitation ne peut commencer qu'après l'obtention d'un **certificat d'achèvement** des travaux d'aménagement et d'un **arrêté de classement** pris par le préfet après avis de la commission départementale de l'action touristique : une distinction est faite entre les camps de tourisme (5 catégories) et les camps de loisir (2 catégories).

Dans les zones couvertes par un plan de prévention des risques naturels prévisibles (PPRN) les prescriptions d'information, alerte et évacuation doivent être compatibles avec celles du plan (art. L. 443-2).

Les aires d'accueil des gens du voyage obéissent à un régime spécifique (voir **décret du 29 juin 2001**).

> ## SECTION 4
Habitations légères de loisirs

Il s'agit de constructions à usage non professionnel **démontables** ou **transportables** et destinées à l'occupation **temporaire** ou **saisonnière** dont la gestion ou l'entretien sont organisés et assurés de façon permanente.

Leur implantation dans des « parcs résidentiels de loisirs » peut dégrader les paysages naturels et urbains et doit être réglementée : une autorisation d'aménager est exigée.

L'installation **isolée** est interdite contrairement aux tentes et caravanes. Les habitations ne peuvent être implantées que sur les terrains suivants : terrains de camping et caravaning permanents autorisés ; villages de vacances classés ; parcs résidentiels de loisirs (**art. R. 444-3**).

Les « **parcs résidentiels de loisirs** » sont, selon le cas, soumis ou non au régime hôtelier. La loi SRU prévoit que lorsque la construction présente un caractère non permanent et est destinée à être régulièrement démontée et réinstallée, le permis de construire précise les périodes où ont lieu ces opérations, un nouveau permis n'étant pas exigible lors de chaque réinstallation.

> ## SECTION 5
Zones à risques

La **loi « paysage » du 9 janvier 1993** impose à l'autorité compétente pour délivrer les autorisations d'aménagement de terrains de camping et de stationnement de caravanes de fixer, après consultation du propriétaire et de l'exploitant et après avis motivé du préfet, les prescriptions d'information, d'alerte et d'évacuation, propres à assurer la sécurité des occupants, dans les zones soumises à risque naturel ou technologique prévisible (**art. L. 443-2 nouveau**).

Si ces prescriptions ne sont pas respectées, la fermeture du terrain peut être ordonnée. En cas de carence, le préfet peut se substituer à l'autorité compétente.

> Chapitre III

Autorisations relatives aux espaces boisés

Les bois et forêts font l'objet de divers régimes protecteurs regroupés dans le **Code forestier**. Les **espaces boisés urbains** appellent un régime **spécifique** prenant en compte la nécessité de maintenir des coupures d'urbanisation et des lieux de détente pour les citadins. Ces dispositions figurent aux **art. L. 130-1 à L. 130-6**. Quelques modifications sont intervenues dans la loi SRU et dans la **loi du 9 juillet 2001** d'orientation sur la forêt.

> Section 1

Délimitation « espace boisé classé » dans les POS

Les PLU peuvent **classer comme espaces boisés « les bois, forêts, parcs à conserver, à protéger ou à créer qu'ils soient soumis ou non au régime forestier, enclos ou non, attenant ou non à des habitations »** (art. L. 130-1). Seule une procédure de révision peut modifier ce classement.

Un tel classement peut aussi intervenir dans le cadre du régime des **espaces naturels sensibles**.

Le classement **interdit tout changement d'affectation** du sol et a pour conséquence l'exigence d'un certain nombre d'autorisations.

> Section 2

Autorisation de coupe et d'abattage d'arbres

Les **coupes** (au caractère continu) et les **abattages** (plus accidentels et limités) sont soumis à **autorisation préalable** dans les espaces boisés classés au terme d'une procédure décentralisée proche de celle du permis de construire, sans possibilité cependant d'autorisation tacite.

L'autorisation est exigée dès que le PLU est **prescrit** et qu'un périmètre de protection a été mis à l'étude.

Elle est **écartée** pour les bois et forêts faisant partie du domaine de l'État ou des collectivités publiques, pour ceux soumis au régime forestier, et pour l'enlèvement des bois morts et chablis, abattus par le vent et dangereux.

> Section 3

Autorisation de défrichement

Le défrichement qui met fin à l'état boisé d'un terrain est soumis à un contrôle plus sévère que les simples coupes.

Dans les espaces boisés classés le défrichement qui supprime la destination forestière du terrain doit être refusé. La seule exception concerne l'exploitation de produits importants pour l'économie nationale. La déclaration de défrichement sera obligatoirement accompagnée d'une étude d'impact et de l'engagement de réaménager le site exploité.

En dehors des espaces boisés classés le défrichement est soumis à autorisation. Diverses exceptions sont prévues : cf. jeunes bois de moins de 20 ans, parcs ou jardins clos de moins de 10 ha attenant à une habitation principale. (art. L. 311-1 Code for.). Une liste limitative des motifs de refus est donnée par le Code (art. L. 311-3).

> ## SECTION 4

Autorisations exceptionnelles de construire

À titre exceptionnel, l'administration peut autoriser dans un espace boisé classé une construction sur une partie du terrain **n'excédant pas 1/10** de sa superficie, moyennant **cession gratuite** du surplus à la collectivité **(art. L. 130-2)**. Le surcroît de valeur de la partie devenue constructible conservée par le propriétaire ne doit pas excéder la valeur du terrain cédé à la collectivité.

L'autorisation n'a pas été décentralisée et ne peut être délivrée que par **décret**, la commune devant donner son accord.

> Chapitre IV

Agrément pour l'implantation d'entreprises et de services en région d'Île-de-France

La politique **d'aménagement du territoire** menée dans les années soixante avait inscrit parmi ses finalités la **décentralisation industrielle et tertiaire** afin de favoriser l'implantation des entreprises et des bureaux en province et de mieux maîtriser la croissance en région parisienne.

Plusieurs décrets intervinrent en ce sens modifiant un régime général **d'agrément** auquel sont soumises les entreprises désirant s'installer dans cette région. Ils sont codifiés aux **articles R. 510-1 et suivants**.

L'agrément est exigé pour les opérations des personnes publiques ou privées tendant à « la construction, la reconstruction, la réhabilitation ou l'extension de tous locaux ou installations servant à des activités industrielles, commerciales, professionnelles, administratives, techniques, scientifiques ou d'enseignement ainsi que tout changement d'utilité ou d'utilisation desdits locaux ».

De nombreuses **exceptions** ont été prévues. Sont ainsi dispensées de l'agrément : les opérations réalisées dans les agglomérations nouvelles et celles dont l'importance est inférieure à certains seuils : 3 000 m² pour les locaux à usage industriel, technique ou scientifique ; 5 000 m² pour les entrepôts ; 2 000 m² pour les magasins de vente.

Le **décret du 3 janvier 1990** a porté à 2 000 m² le seuil en-dessous duquel est dispensée d'agrément la construction d'ensembles de bureaux « **non affectés** », afin de freiner la pratique sournoise des « bureaux en blanc ».

La délivrance de l'agrément a été, depuis la loi SRU, simplifiée, une large déconcentration étant intervenue au profit du préfet de la région d'Île-de- France.

L'agrément est parfois accordé **sous condition** : cf. développement d'autres secteurs d'activité des entreprises hors région d'Île-de-France. Il n'est donné qu'à titre précaire. C'est une décision préalable au permis de construire et l'autorité administrative a compétence liée pour refuser le permis si l'agrément n'a pas été accordé : CE 7 janvier 1987, « *SCI Étoile Neuilly* ».

> CHAPITRE V

AUTORISATION D'IMPLANTATION DES ÉQUIPEMENTS COMMERCIAUX

Dans un but de protection du petit commerce, **la loi d'orientation du commerce et de l'artisanat du 27 décembre 1973, loi « Royer »,** subordonne la délivrance du permis de construire une « grande surface » à une autorisation spéciale délivrée par une Commission où sont largement représentés les petits commerçants : la « **commission départementale d'équipement commercial** » (**CDEC**). La loi « Doubin » du **31 décembre 1990**, la loi « Sapin » du **29 janvier 1993** et la **loi du 5 juillet 1996** ont sensiblement réformé le système.

La loi SRU, tout en maintenant le principe d'un régime spécial d'autorisation, cherche à l'intégrer davantage dans les projets d'urbanisme et de développement.

> SECTION 1

Champ d'application

La loi de 1996 a unifié et abaissé les seuils d'autorisation.

Sont désormais soumis à l'autorisation spéciale d'exploitation commerciale aux termes de l'article **L. 451-5**, les projets :

– de **constructions nouvelles entraînant la création** d'une surface de vente supérieure à 300 m² ;

– de changement de secteurs d'activités d'un commerce de détail d'une surface de vente supérieure à 2 000 m² (300 m² pour les commerces à prédominance alimentaire) ;

– des complexes multisalles de cinémas de plus de 1 500 places et des établissements hôteliers d'une capacité supérieure à 30 chambres (50 en Île- de-France).

> SECTION 2

Interprétations

Les textes et la jurisprudence ont précisé les notions suivantes :

§1 NOTION D'« UNITÉ ÉCONOMIQUE D'ENSEMBLE » ET D'« ENSEMBLE COMMERCIAL »

Par la juxtaposition de plusieurs magasins de détail certains tentèrent d'échapper à l'autorisation, arguant le non-dépassement des seuils.

La jurisprudence a précisé que lorsque l'ensemble constituait une « **unité économique** », marquée par la complémentarité, une gestion, des équipements et des services communs, il y avait un véritable « **ensemble commercial** » soumis aux dispositions légales (CE 18 mai 1979, « *SCI Les Mouettes* »). Ces critères ont été repris par la **loi du 31 décembre 1990**, qui a remplacé la notion d'« unité économique d'ensemble », par celle « **d'immeuble commercial** », qu'elle définit dans son article 2.

§2 NOTION DE COMMERCE DE DÉTAIL

Il s'agit d'un magasin ouvert au public où s'effectue la vente de marchandises à emporter en quantité correspondant aux besoins normaux d'un consommateur ordinaire, ce qui **exclut** le commerce de gros, les activités de prestation de services et de vente par correspondance.

§3 NOTION DE SURFACE DE VENTE

La jurisprudence a précisé que pouvaient être **pris en compte** pour l'application des seuils : **les locaux de récupération d'emballages accessibles à la clientèle, les locaux affectés à des artisans** : cf. restauration, cordonnerie… qui, sauf s'ils ne sont qu'occasionnels, apparaissent comme faisant partie de l'ensemble commercial.

> SECTION 3

Autorisation de la commission départementale d'équipement commercial (CDEC)

§1 CDEC ET CNEC

• **Présidée par le préfet**, la CDEC est **composée** d'élus locaux, de représentants d'activités commerciales et artisanales et de représentants des consommateurs. Le maire de la commune d'implantation est membre de droit.

Elle se détermine en se référant aux **critères** définis par la loi Royer : satisfaction des consommateurs, concurrence loyale, exigences de l'aménagement du territoire, croissance ordonnée de l'urbanisation. Le juge recherche, en tout premier lieu, si l'opération n'est pas susceptible d'entraîner un écrasement de la petite entreprise et le gaspillage des équipements commerciaux : C.E Ass. 27 mai 2002 « *S.A. Guimatho* ».

Le **décret du 17 février 1992** retient quelques mesures nouvelles pour améliorer la **transparence** des décisions de la CDEC : vote public, et pour mieux maîtriser les nouvelles implantations : consultation des CDEC des départements proches de l'implantation si leur tissu commercial est touché par le projet ; mise en place d'un observatoire départemental d'urbanisme commercial. La loi du 5 juillet 1996 oblige les CDEC à prendre en considération « l'impact éventuel du projet en termes d'emplois ».

La CDEC se prononce dans les **3 mois** à compter du dépôt de la demande. À défaut l'autorisation sera tacite.

• Sa décision peut faire l'objet d'un **recours devant la Commission nationale d'équipement commercial (CNEC)**, le recours au ministre du Commerce, constituant, comme auparavant, un préalable obligatoire. La CNEC doit statuer en appel dans un délai de 4 mois.

Le juge administratif peut être saisi de recours en annulation des décisions des commissions d'urbanisme commercial. Pour une annulation voir CE 22 février 1999, « *CCI Touraine* ».

L'autorisation qui « n'est ni transmissible, ni cessible » est **périmée** si le permis de construire n'a pas été demandé dans un délai de 2 ans et en cas de cessation d'exploitation pendant 2 ans.

Elle ne forme pas avec le permis de construire une opération complexe. En conséquence, sa légalité ne peut être mise en cause à l'occasion du recours contre le permis de construire : CE

17 décembre 1982, « *Soc. Angelica- Optique* » et le permis n'a pas d'incidence obligatoire sur l'autorisation qui l'a précédé : CE 13 avril 1983, « *Martelly* ».

La loi SRU précise que la surface des aires de stationnement, annexes d'un commerce soumis à autorisation de la CDEC, ne peut excéder 1 fois 1/2 la SHON des bâtiments affectés au commerce.

§2 Articulation avec le droit de l'urbanisme

Elle est encouragée par la loi SRU.

Ainsi les SCOT devront notamment définir les objectifs relatifs à « l'équipement commercial et artisanal, aux localisations préférentielles des commerces – à la mise en valeur des entrées de ville ».

Les schémas de développement commercial et les autorisations d'exploitation commerciale doivent être *compatibles* avec les SCOT.

En 2001, les CDEC ont rendu 2 939 décisions (soit 2 298 autorisations et 641 refus). 371 recours ont été examinés par la CNEC (211 autorisations ont été accordées).

Titre IV
Le contentieux de l'urbanisme

Le contentieux de l'urbanisme connaît depuis les années soixante-dix un constant **essor**. En 1970, il y avait un millier de recours ; 30 ans après 17 000 environ. La décentralisation a engendré de nouveaux problèmes auxquels les citoyens et les associations sont de plus en plus sensibilisés. Quantitativement les recours se sont beaucoup accrus : au Conseil d'État, l'urbanisme est un des domaines du contentieux général accueillant le plus grand nombre de recours et la progression devant les tribunaux administratifs a été d'environ 40 % en dix ans. Elle tend à se stabiliser actuellement.

En 1992, les **cours administratives d'appel** ont bénéficié du transfert du contentieux de l'excès de pouvoir concernant les décisions individuelles en matière d'urbanisme. Le contentieux de la responsabilité avait été transféré dès 1988.

Au sens large, incluant l'expropriation, le contentieux de l'urbanisme a été le champ de découverte et d'expérimentation de **fécondes et originales jurisprudences** : erreur manifeste d'appréciation, contrôle de proportionnalité pour les plus prestigieuses ; décisions implicite d'octroi, retrait valant refus d'autorisation, mode original de publicité… L'appréciation du rapport de compatibilité entre certaines normes soulève des interprétations rendues délicates par le caractère de *soft law* de nombreuses dispositions.

Le contrôle juridictionnel est assuré principalement par les **juridictions administratives**. Mais le **juge judiciaire** est aussi appelé à intervenir : juge civil pour contraindre les particuliers à réparer les préjudices causés à des tiers du fait de la méconnaissance des règles d'urbanisme et juge répressif pour sanctionner les contrevenants à cette règle.

Des procédures de **conciliation** peuvent être mises en œuvre : cf. saisine du médiateur. En 1977, une Commission fut provisoirement mise en place pour régler à l'amiable d'importants litiges tel le « trou des Halles » et a cessé ensuite de fonctionner. Ces modes alternatifs de règlement des conflits ne jouent qu'un rôle marginal mais pourraient être amenés à se développer.

La **Cour européenne des droits de l'homme** estime que la contestation d'un permis de construire entre dans le champ d'application de l'**article 6, 1,** fixant les exigences du « procès équitable », CEDH 25 octobre 1994, « *Ortenberg* ».

Quant au **Conseil constitutionnel**, souvent saisi après le vote des lois d'urbanisme – dont la loi SRU – il veille au respect des droits fondamentaux tels que le droit de propriété, et le principe de libre administration des collectivités locales…

> CHAPITRE I
LE CONTENTIEUX ADMINISTRATIF

Le contentieux le plus abondant est celui de l'excès de pouvoir mais celui de la responsabilité est en essor.

> SECTION 1
Contentieux de la légalité

§1 RECEVABILITÉ ET MESURES D'URGENCE

A. Actes faisant grief

La jurisprudence reconnaît **largement** ce caractère même à des actes à la nature indicative ou prospective.

• **Actes réglementaires**

La plupart font grief qu'il s'agisse des **règles nationales ou locales**. Ainsi un recours est possible contre un SCOT (mais pas contre la décision d'élaborer ce schéma), contre un PLU, une carte communale, un plan d'exposition du bruit.

• **Actes individuels**

Le recours est largement ouvert contre les actes **décisoires** : autorisations ou refus de construire et aussi contre des actes principalement **informatifs** mais faisant grief : certificat d'urbanisme, certificat de conformité ou des actes à caractère **provisoire**, tel le sursis à statuer.

L'article R. 600-1 introduit l'obligation de la notification des recours gracieux ou contentieux.

En cas de déféré du préfet ou de recours contentieux à l'encontre d'un document d'urbanisme ou d'une décision relative à l'occupation du sol, le préfet ou l'auteur du recours est tenu, à peine d'irrecevabilité, de notifier ce recours à l'auteur de la décision et, s'il y a lieu, au titulaire de l'autorisation. Cette obligation s'applique aussi aux recours administratifs, gracieux ou hiérarchique.

L'interprétation de cette disposition a donné lieu à un contentieux abondant. Voir par exemple, **CE avis 13 octobre 2000** : le certificat d'urbanisme, dont l'objet n'est pas d'autoriser une construction, n'entre pas dans le champ d'application de l'article R. 600-1.

B. Intérêt pour agir

• **L'intérêt du bénéficiaire** de l'autorisation ne pose pas de difficultés. Il pourra diriger son recours contre une décision de refus, de retrait, contre un certificat négatif…

• **L'intérêt pour agir des tiers** doit être personnel et direct : le voisin est recevable à exercer un recours contre un permis de construire mais la **seule qualité d'habitant de la commune** n'est pas suffisante sauf si le permis concerne des constructions importantes modifiant sensiblement l'apparence de l'agglomération.

• **Le recours des associations** de défense de l'environnement et du cadre de vie est largement admis et doit être encouragé. Cependant le juge examine soigneusement l'objet statutaire, veillant à ce qu'il y ait **adéquation** entre l'objet de l'association et l'objet de la mesure prise. Il fait jouer, par ailleurs, **le critère de** « **proximité** » et recherche une adéquation entre l'aire géographique de l'association et la portée territoriale de la décision. Depuis la *loi environnement du 2 février 1995* « toute *association agréée* au titre de l'environnement justifie d'un intérêt à agir contre toute décision administrative… produisant des effets dommageables sur l'environnement » (art. L. 142-1 C. envir.).

• **Les maires** lorsqu'ils interviennent au nom de la commune sont recevables à agir contre des arrêtés préfectoraux ou ministériels.

• L'intérêt invoqué ne doit pas s'éloigner de préoccupations **liées à la défense de l'urbanisme**. Ainsi un intérêt purement commercial ou purement financier ne donne pas qualité pour former un recours.

C. Maîtrise de l'urgence : le référé suspension

• *Les insuffisances du sursis à exécution*

Maîtriser l'espace c'est aussi maîtriser le temps. Les lenteurs inhérentes à une instruction minutieuse et à l'encombrement des prétoires ont des conséquences graves sur le respect rendu parfois impossible de la règle de droit. « Règle fondamentale du droit public » : CE 2 juillet 1982, « *Huglo* », le caractère exécutoire des décisions administratives a des incidences particulièrement sensibles en droit de l'urbanisme. L'exécution de l'autorisation : construction ou démolition rend souvent impossible l'exécution de la décision de justice annulant rétroactivement cette autorisation. **La chose jugée se heurte au fait accompli,** les dommages sont irréparables et le juge peut parfois être conduit à prononcer un non-lieu à statuer si, en cours d'instance, la construction (gros œuvre et aménagements extérieurs) a été réalisée.

Le droit de l'urbanisme était ainsi directement atteint par la **traditionnelle et compréhensible réserve du juge administratif à l'égard du sursis à exécution**. Le sursis, qui devait lui-même être instruit avec soin pour faire ressortir les « moyens sérieux », était soit accordé trop tard, soit refusé, le juge conservant l'opportunité de l'octroi même en présence de « **moyens sérieux** » : CE 13 février 1976, « *Ass. de sauvegarde du quartier Notre-Dame* ».

Le législateur avait prévu des hypothèses de **sursis automatique** (absence d'étude d'impact lorsque celle-ci doit précéder une décision), de sursis « facilité » et de **sursis « accéléré »** (accordé dans les 48 heures lorsque l'acte est de nature à compromettre l'exercice d'une liberté publique ou individuelle, ce qui est rarement le fait des règles et décisions d'urbanisme).

Les progrès espérés qui permettraient un meilleur fonctionnement des mesures d'urgence sont enfin intervenues.

La **loi du 9 février 1994** permettait l'octroi du sursis par juge unique en matière d'urbanisme et l'efficacité du sursis à exécution avait été aussi recherchée par la mise en œuvre de la procédure, issue de la **loi du 8 février 1995**, de **suspension provisoire**, qui eut peu de succès.

• *Le référé suspension*

La **loi du 30 juin 2000** établit un lien entre **référé et suspension** en permettant d'obtenir du juge qu'il prescrive s'il y a urgence le suspension de la décision attaquée jusqu'au jugement du recours. Ce nouveau **référé-suspension**, est d'application générale (art. L. 521-1 Code just. adm.) et convient tout particulièrement au contentieux de l'urbanisme deux conditions devant être réunies : la mesure doit être justifiée par l'urgence (voir CE 19 janvier 2001 « *Confédération nationale des radios libres* ») et la requête doit faire état d'un moyen propre à créer « *un doute sérieux* » quant à la légalité de l'instruction.

Certaines singularités sont propres au droit de l'urbanisme : délai d'un mois laissé au juge des référés pour statuer sur les demandes de suspension des autorisations de construire (art. L. 421-9) ; par ailleurs, le juge des référés doit se prononcer *sur l'ensemble des moyens* de la requête qu'il estime susceptible de fonder la suspension.

Deux anciennes procédures sont maintenues : le référé – suspension automatique (pour *défaut d'étude d'impact*) et le référé – suspension automatique dans le *cadre de l'enquête publique* (lorsqu'il y a absence d'enquête ou conclusions défavorables du commissaire-enquêteur).

§2 CONTRÔLE DU JUGE ET SA PORTÉE

A. Étendue du contrôle

1. CONTRÔLE RESTREINT

Il occupe une place importante eu égard à l'ampleur des décisions à **caractère discrétionnaire**, les textes laissant à l'administration une large faculté de choix en opportunité qui ne permet pas au juge d'examiner la qualification juridique peu précise des faits.

Ainsi ne sont soumises qu'à un **contrôle restreint** : la décision de prescrire un PLU, la plupart des décisions d'octroi du permis de construire, la décision de création d'une ZAC et celle délimitant son périmètre de même que le contenu des documents d'urbanisme : schéma directeur (CE 24 juillet 1981, « *Ass. de défense du site de Ronchamp* »), POS (CE 23 mars 1979, « *Commune de Bouchemaine* »).

Le juge censure avec fermeté l'**erreur manifeste d'appréciation** n'hésitant pas à annuler des erreurs grossières dans les classements des terrains par les POS : CE 23 mai 1986, « *SA Charvo* », erreur manifeste dans le classement d'un terrain en zone NA et dans l'appréciation des dispositions permissives du RNU : CE 3 février 1992, « *Commune de Saint-Pierre d'Oléron* » à propos de l'application de l'article R. 111-21.

2. CONTRÔLE NORMAL

Il intervient lorsque l'administration dispose d'une **compétence liée**, c'est-à-dire lorsque les textes ont posé des conditions et des limites à son action.

Le juge pourra exercer un **contrôle de la qualification juridique des faits** qui se rencontre :

- soit lorsqu'il doit faire application de **règles impératives** contenues dans les règlements d'urbanisme, cf. les règles de prospect du RNU ;

- soit lorsqu'il y a **refus de permis de construire**. Le juge vérifie si l'administration a bien justifié juridiquement les situations de fait lui permettant de refuser le permis ou de l'assortir de conditions spéciales.

On n'aura garde d'oublier que c'est dans le domaine de l'urbanisme que le contrôle de la qualification juridique des faits a été mis au point par le Conseil d'État : célèbre arrêt « *Gomel* », CE 4 avril 1914, qualifiant « **perspective monumentale** » la place Beauveau à Paris.

3. Contrôle maximum

Le contrôle du « **bilan** » appliqué surtout aux déclarations d'utilité publique peut avoir des incidences immédiates sur les opérations d'urbanisme ; cf. lorsqu'elle précède la création d'une ZAC (CE 9 mai 1979, « *Commune de Cheylard* »).

Il a aussi été appliqué aux **dérogations** aux règles d'urbanisme par un considérant de principe : « une dérogation ne peut être autorisée que si les atteintes portées à l'intérêt général que les prescriptions (d'urbanisme) ont pour objet de protéger, ne sont pas excessives eu égard à l'intérêt général que présente la dérogation » CE 18 juillet 1973, « *Ville de Limoges* ».

Très prudent quant à l'utilisation de ce contrôle, qui pourrait faire de lui un juge « qui gouverne » substituant sa propre appréciation en opportunité à celle de l'administrateur, le Conseil d'État se refuse à lui donner trop d'ampleur.

Ainsi a-t-il écarté l'application de la théorie du bilan au contenu du POS : CE 23 mars 1979, « *Commune de Bouchemaine* » précité.

Il est intéressant d'observer que certaines décisions ont fait indirectement application de cette théorie, s'appuyant sur l'article L. 121-10 (devenu L. 121-1 modifié) qui impose aux auteurs du PLU de respecter un certain équilibre entre divers intérêts généraux.

B. Moyens d'annulation

Les cas d'ouverture du recours, moyens de légalité externe ou interne, présentent les particularités suivantes :

• **Illégalités externes**

La **répartition des compétences** est sévèrement contrôlée qu'il s'agisse de distinguer entre les compétences des autorités locales et celles de l'État, ou de décider entre les pouvoirs des autorités locales elles-mêmes : cf. CE 29 avril 1983, « *Ass. de défense des espaces ruraux et naturels de la commune de Regny* » : le maire et non le conseil municipal est compétent pour « arrêter » les cartes communales.

Quant aux **vices de forme ou de procédure,** ils ont été à l'origine d'annulations remarquées, telles celles des POS de Fontainebleau ou de La Baule (CE 5 janvier 1979, « *Ass. pour la protection du site de La Baule-Escoublac* ») du fait de la composition irrégulière du groupe de travail. Les autorités locales sont désormais familiarisées à la complexité des procédures et les annulations plus rares. Le juge, en réservant son examen aux formes et à la procédure, se dispensait d'évoquer le fond de l'affaire, ce qui lui fut à tort désormais, reproché.

• **Illégalités internes**

Le contrôle de la **violation de la règle de droit** et des **motifs de la décision** est souvent rendu délicat par le caractère souple de nombreuses normes d'orientation fixant des **objectifs très généraux** : cf. art. L. 110 et, art. L. 300-1. De surcroît, la portée de la règle de droit est **flexible**, différant selon qu'il y a rapport de conformité ou simple rapport de compatibilité et selon qu'il y a obligation de respecter la règle ou seulement de la « **prendre en compte** » ou « **en considération** ». Les notions sont souvent plus fonctionnelles et instrumentales que conceptuelles.

Le débat au fond laisse apparaître une moindre timidité du juge pour accueillir le moyen du **détournement de pouvoir** réservé presqu'exclusivement aux actes réglementaires.

L'annulation intervient sur ce moyen si le juge décèle une **discrimination évidente au profit** d'une personne ou d'une opération : CE 3 avril 1987, « *Commune de Viry-Châtillon* » ou **à l'encontre** d'une personne ou d'une opération : CE 13 avril 1983, « *Balestruci* » (surface minimale exigée pour les parcelles d'un lotissement dans le but de faire obstacle à la délivrance des permis de construire).

Le détournement de pouvoir sera aussi retenu lorsque le POS tend à régulariser une situation illégale : CE 25 juin 1982, « *SCI Jemmapes République* » ou s'il poursuit un but exclusivement financier : TA Versailles, 4 mars 1988, « *Demaret* ».

Si aux côtés de ces intérêts discutables, le juge décèle un autre intérêt général il ne retiendra pas le détournement de pouvoir.

• **Article L. 600-4-1 :**

Lorsqu'un acte est annulé ou que sa suspension a été accordée, la juridiction administrative se prononce sur **l'ensemble des moyens** d'annulation ou de suspension contenus dans la requête, disposition opportune qui permet à l'auteur de la décision d'être informé de la position du juge à l'égard de toutes les irrégularités soulevées par le requérant et d'agir en conséquence. Le juge se prononce en l'état du dossier.

C. Effets de l'annulation

1. ACTES RÉGLEMENTAIRES

La loi SRU a cherché à simplifier les conséquences des annulations contentieuses des documents d'urbanisme.

• L'annulation d'un PLU, d'un SCOT ou d'une carte communale fait **revivre** le document d'urbanisme immédiatement antérieur à celui qui a fait l'objet d'une annulation (art. L. 121-8). Si le document d'urbanisme qui redevient applicable est lui-même illégal, la commune ou l'EPCI sont tenus de ne pas en faire application. Ils peuvent l'abroger ou engager sans délai une procédure de modification ou de révision. Le RNU s'applique en attendant leur achèvement.

2. EXCEPTION D'ILLÉGALITÉ

La possibilité de faire jouer l'exception d'illégalité d'un SCOT ou d'un PLU, est limitée s'agissant des vices de forme ou de procédure par **l'art. L. 600-1** qui dispose que l'illégalité pour vice de forme d'un document d'urbanisme « ne peut être invoquée par voie d'exception après l'expiration d'un délai de six mois à compter de la prise d'effet du document ».

Cette disposition, née de la **loi du 9 février 1994**, fut acceptée par le Conseil constitutionnel qui insista sur le caractère limité de son application. Le juge administratif a apporté ensuite des précisions : cf. l'insuffisance du rapport de présentation s'analyse comme un vice de forme : **CE 10 juin 1998** « *SA Leroy-Merlin* », position qui fut critiquée.

• L'annulation d'un POS n'**entraîne pas de plein droit celle des permis** délivrés dans la commune sauf si elle est fondée sur l'illégalité d'une disposition ayant rendu possible l'octroi du permis : **CE 12 décembre 1986**, « *Soc. Gepro* ». Une solution identique a été appliquée aux autorisations de lotir : **CE 8 juin 1990**, « *Assaupamar* » (cf. *supra*).

• La loi SRU précise qu'en cas d'annulation d'un PLU ou d'une carte communale, seuls les permis délivrés postérieurement à cette annulation sont soumis à l'avis conforme du préfet.

3. Décisions individuelles

La disparition rétroactive d'une autorisation de construire contraint son bénéficiaire à **rétablir le sol dans son état initial**. Le fait que, très souvent, les travaux soient engagés ou même achevés rend **difficile** l'exécution matérielle du jugement. Il faut alors tenter de mettre le droit en accord avec les faits et **régulariser** la situation.

La **régularisation** est aisée si l'annulation est intervenue sur le fondement d'**illégalités externes**, une nouvelle autorisation pouvant être délivrée qui respecte les formes et procédures.

Elle est plus délicate si des **illégalités internes** ont été constatées sauf à compter sur des modifications de la réglementation d'urbanisme, fondées sur l'intérêt général afin d'éviter le détournement de pouvoir.

Lorsque l'annulation est prononcée après que les **travaux** soient **achevés**, l'intervention du juge répressif est parfois requise lequel a compétence pour prononcer une mise en conformité ou la démolition (cf. *infra*).

Un **recours en responsabilité** devant le juge administratif n'est pas exclu pour faute commise dans la délivrance de l'autorisation illégale.

> Section 2
Contentieux de la responsabilité

§1 Fondements de la responsabilité

A. Hypothèses de responsabilité sans faute

Fondées sur la violation du principe d'égalité devant les charges publiques, elles demeurent **exceptionnelles**. Les conditions d'anormalité et de spécialité du préjudice se rencontrent rarement, l'inégalité des situations et les inconvénients que subit le citoyen dans la ville s'appréciant comme des aléas qui ne dépassent pas le seuil d'anormalité.

• La **jurisprudence** a cependant retenu quelques situations où la responsabilité sans faute de l'administration a été engagée :

– **modification par une commune de sa politique d'aménagement** qui remet en cause la réalisation d'une tranche d'un lotissement : CE 9 janvier 1985, « *SA des Ecardines* » ;

– dommage causé par la **découverte fortuite de vestiges archéologiques** au cours de travaux autorisés par un permis de construire, les fouilles ayant causé des retards dans le déroulement du chantier : **CE 25 mars 1991**, « *SCI La Cardinale* ».

– dommage causé à un tiers par la renonciation d'une collectivité à réaliser un ouvrage public *CE 15 novembre 2000* « *Commune de Morschwiller* ».

• Des **régimes législatifs** de responsabilité sans faute permettent d'indemniser les servitudes d'urbanisme en cas de modification à l'état antérieur des lieux (loi 15 juin 1943) ou d'atteinte à des droits acquis (loi 30 décembre 1967).

B. Responsabilité pour faute

C'est l'hypothèse la plus **courante** et une **faute simple** suffit. Les faits susceptibles d'engager la responsabilité sont à la fois :

● **Des illégalités**

C'est le fondement le plus ordinaire de la responsabilité l'illégalité étant, **fautive**, même si elle ne résulte que d'une simple erreur d'appréciation : CE 2 janvier 1973, « *Driancourt* ».

Il peut s'agir de l'octroi ou du refus illégal d'un permis ou d'une autorisation de lotir, d'un ordre illégal d'interrompre les travaux, d'un sursis à statuer illégal. De fortes indemnités peuvent être attribuées à un promoteur pour illégalité d'un accord préalable non suivi d'un permis : cf. CE 17 juin 1983, « *SCI Italie-Vandrezanne* ».

Il peut s'agir aussi de la demande de versement de **participations financières illégales** (ne respectant pas le caractère limitatif de l'article L 332-6) : CE 4 février 2000, « *EPAD* », condamnation de l'EP d'aménagement de la Défense à verser à un promoteur une somme de 1,3 milliards de francs.

● **Des agissements fautifs**

C'est le cas des **erreurs** de l'administration dans les informations données aux pétitionnaires sur la règle d'urbanisme applicable : erreurs et lacunes dans un certificat d'urbanisme, erreur quant à la constructibilité, quant au COS applicable, omission d'une servitude.

Des **retards** pourront être sanctionnés ainsi que des **promesses et engagements non tenus** lorsque l'administration encourage un projet de construction qu'elle ne pourra ensuite autoriser ou lorsqu'elle apprécie mal les risques, tels les avalanches ou les affaissements, auxquels sera soumise la future construction.

§2 PRÉJUDICE INDEMNISABLE

Les règles du droit commun de la responsabilité administrative se retrouvent.

● **Responsabilité sans faute** : le préjudice doit être **anormal** et **spécial** ce que la jurisprudence reconnaît rarement : cf. pas d'anormalité de la perte d'ensoleillement du fait de la construction d'un important ensemble d'immeubles.

● **Responsabilité pour faute** : le préjudice doit être **matériel, direct** et **certain**. C'est le cas pour les pertes financières dues à la hausse du coût de la construction et au retard dans la délivrance de l'autorisation, aux honoraires des architectes et bureaux d'étude, aux indemnités de dédit aux fournisseurs, au coût d'immobilisation du capital, aux frais d'acquisition foncière.

Les préjudices seulement éventuels ne sont pas indemnisés. C'est le cas, le plus souvent, de la perte des loyers ou des bénéfices escomptés d'une opération immobilière irrégulièrement empêchée ou retardée.

● L'obligation de réparation de l'administration est limitée par le **principe de non-indemnisation des servitudes d'urbanisme** (sauf à prouver une faute de l'administration dans l'établissement de la servitude).

Rappel : l'article **L. 160-5** dispose que : « **N'ouvrent droit à aucune indemnité les servitudes instituées par application du présent code en matière de voirie, d'hygiène et d'esthétique ou pour d'autres objets et concernant, notamment, l'utilisation du sol, la** hauteur des constructions, la proportion des surfaces bâties et non bâties dans chaque propriété, l'interdiction de construire dans certaines zones et en bordure de certaines voies, la répartition des immeubles entre diverses zones. »

Le principe de non-indemnisation n'est écarté que dans deux hypothèses : lorsque la servitude a porté **atteinte à des droits acquis** ou a conduit à une **modification de l'état antérieur des lieux** (cf. *infra*).

§3 IMPUTATION DE LA RESPONSABILITÉ

La **personne responsable**, c'est-à-dire celle pour le compte de laquelle l'acte dommageable a été fait, est depuis les lois de décentralisation **soit la commune** lorsqu'elle est dotée d'un PLU, **soit l'État**.

Des problèmes délicats se posent parfois que la jurisprudence est amenée à régler. Ainsi a-t-elle décidé que lorsque le maire, en vertu de l'article L. 480-2 ordonne l'**interruption de travaux irréguliers** il intervient **au nom de l'État**, l'arrêté interruptif constituant un acte administratif détachable de la procédure pénale. S'il y a faute, la responsabilité de l'État sera engagée : CE 14 octobre 1987 « *Mult* ».

Une question intéressante a trouvé un début de solution : celle de savoir dans quelle mesure l'État pourrait être rendu responsable d'une **erreur commise par les services de la DDE** mis, par convention, à la disposition des communes. Dans un arrêt CE 21 juin 2000, « *Commune de Roquebrune-Cap-Martin* » précité, le Haute juridiction laisse entendre qu'une **faute simple** (non retenue en l'espèce) peut engager la responsabilité des services de l'État, lorsqu'ils refusent ou négligent d'exécuter un ordre ou une instruction du maire.

L'arrêt précise, par ailleurs, que la responsabilité au préfet dans l'exercice du déféré préfectoral ne peut être engagé que pour **faute lourde**, arrêt confirmé par CE 6 octobre 2000, « *Commune de Saint-Florent* » (faute lourde retenue en l'espèce).

Pour faire face à leurs responsabilités nouvelles, les communes ont souscrit des **contrats d'assurances**, les charges résultant de ces contrats faisant l'objet d'une compensation financière (attribution particulière de la dotation de décentralisation).

– Les enjeux financiers sont parfois très élevés et hors de proportion avec les ressources communales : l'annulation d'une ZAC, dans la petite commune littorale de Rayol-Canadel, est à l'origine d'un préjudice évalué par le TA de Nice à 73 076 410 F. Contrairement à ce jugement qui n'avait retenu que la responsabilité de la commune, la CAA de Lyon, 6 juin 2000 « *SNC Empain-Graham* », retient aussi la responsabilité de l'État (faute simple du préfet pour avoir donné son accord à l'extension de l'urbanisation dans un site remarquable).

Les causes ordinaires d'exonération ou d'atténuation de responsabilité : **faute de la victime, fait du tiers, force majeure** trouvent application.

La jurisprudence se montre rigoureuse en ce qui concerne la faute de la victime surtout si celle-ci est un professionnel. Est une faute le fait pour la victime d'avoir demandé une autorisation irrégulière, sauf si la complexité manifeste de la règle ne lui permettait pas de déceler l'irrégularité.

§4 RECOURS ABUSIFS ET FRAIS IRRÉPÉTIBLES

Des condamnations peuvent être prononcées pour **recours abusif**. Elles interviennent rarement et le montant des amendes n'est pas vraiment dissuasif.

S'inspirant de l'article 700 du Code de procédure civile, un décret du 2 septembre 1988, modifié en 1991, permet au juge administratif de condamner la partie perdante à payer à l'autre les **frais irrépétible**s, sommes non comprises dans les dépens, tels les honoraires d'avocat. Le juge tient compte de « **l'équité** » et de « **la situation économique** » de la partie condamnée.

La jurisprudence accorde **libéralement** le remboursement des frais irrépétibles dans les affaires d'urbanisme, la « situation économique » des communes, de l'État ou des constructeurs responsables de l'irrégularité leur permettant ce remboursement et « **l'équité** » incitant à encourager ceux qui, au nom du droit, œuvrent pour la défense de l'intérêt général.

> CHAPITRE II

LE CONTENTIEUX JUDICIAIRE

Lorsque les constructeurs s'abstiennent de demander les autorisations, ou les ayant obtenues, négligent de les respecter, la **sanction** de ces manquements est de la compétence du juge judiciaire, contentieux à la fois **civil** et **pénal**, turgescence à la frontière du droit public et du droit privé dont l'efficacité n'est pas entièrement satisfaisante.

Pourtant les irrégularités commises par les particuliers peuvent avoir des conséquences graves et l'intervention souvent délicate du juge judiciaire devrait pouvoir s'exercer pleinement.

> SECTION 1

Contentieux civil

À la différence du dispositif répressif, l'intervention du juge civil pour faire respecter la réglementation d'urbanisme est une création purement **prétorienne** forgée à l'occasion de réclamations de voisins lésés. L'intérêt privé rencontre l'intérêt général ce qu'a admis la Cour de cassation dans l'arrêt du 9 juin 1959, « *SCI, Terrasse Royale* » reconnaissant la possibilité pour les particuliers **d'intenter une action en réparation devant le juge civil**, alors qu'auparavant elle excluait cette possibilité et estimait que les règles d'urbanisme ne sont édictées que dans l'intérêt général et qu'on ne peut en réclamer le bénéfice dans un intérêt privé.

§1 LES SERVITUDES D'URBANISME, FONDEMENT DE L'ACTION DES TIERS

Les **servitudes d'urbanisme** réalisent la conciliation entre l'intérêt général qui leur donne leur fondement et les intérêts privés, protection d'un fonds dominant, qu'elles favorisent. Mais pour que les tiers puissent s'en prévaloir, elles doivent être **suffisamment précises** et avoir un caractère **impératif**, ce qui exclut les dispositions permissives du RNU : Cass. 4 février 1976, « *Betuing* ».

Dans l'hypothèse d'une **construction sans permis ou édifiée en méconnaissance du permis**, l'action en responsabilité civile n'est possible que s'il y a violation d'une servitude d'urbanisme. Le tiers lésé dispose d'un délai de dix ans à compter de l'achèvement des travaux.

• Dans l'hypothèse d'une construction édifiée **conformément à un permis de construire**, l'action en responsabilité civile voit son succès subordonné à une **annulation préalable du permis** par le juge administratif. Il y aura question préjudicielle si le tiers a saisi directement le juge civil. L'action en responsabilité se prescrit par 5 ans après l'achèvement des travaux (**art. L. 480-13**).

• L'action en réparation du tiers lésé ne peut prospérer que si la preuve est rapportée de l'existence d'un préjudice **personnel**, conséquence directe de la violation de la servitude.

§2 AUTRES FONDEMENTS DE LA RESPONSABILITÉ

• **Violation d'un droit réel**

Le tiers lésé peut invoquer la violation de l'article 545 du Code civil : empiétement sur sa propriété, ou de l'article 675 et s. : jours et vues illicites.

• **Violation des troubles anormaux de voisinage**

L'anormalité est appréciée rigoureusement et *in concreto*. L'article L. 112-16 du Code de la construction est à l'origine de la théorie de la « **préoccupation** ». Il dispose que les dommages causés par des nuisances dues aux activités agricoles, industrielles, artisanales ou commerciales n'entraînent pas droit à réparation si le permis de construire afférent au bâtiment exposé aux nuisances a été demandé **postérieurement** à l'existence de ces activités par ailleurs conformes à la réglementation en vigueur.

• **Violation des stipulations du cahier des charges d'un lotissement**

Les stipulations du cahier des charges ayant, selon la jurisprudence, un caractère réel, leur violation peut être invoquée par un tiers lésé qui n'a pas à apporter la preuve d'un quelconque préjudice.

§3 Réparation du préjudice

A. Caractères du préjudice

Il doit être **personnel**, ce qui peut être aisément prouvé, et **direct**, ce qui peut poser quelque problème. La Cour de cassation se montre exigeante et estime que le préjudice allégué doit correspondre au but particulier poursuivi par la règle méconnue : cf. une règle de prospect est étrangère aux questions de vue et de dépassement de hauteur autorisée.

B. Modalités de la réparation

Le juge du fond a perdu son pouvoir souverain d'appréciation qui lui laissait le choix entre la réparation en nature (**mise en conformité ou démolition**) et la réparation par équivalent (**dommages-intérêts**).

Dans un arrêt du **7 juin 1979** : « *Époux Sagnard* », annoncé par un arrêt de 1965 : « *Cliquet* », la Cour de cassation a rappelé que **la démolition est un droit** pour le demandeur dès l'instant qu'elle est possible et que la construction illicite lui cause un préjudice personnel. Cette position contrarie la tendance à convertir la demande de réparation en nature en indemnités ; elle est estimée rigoureuse mais rejoint la tendance actuelle à la sévérité.

La condamnation à démolition ou à mise en conformité n'exclut pas celle à des dommages-intérêts. Elle peut être assortie d'**astreintes**.

> Section 2

Contentieux pénal

Les infractions aux règles d'urbanisme sont assorties de **sanctions** prononcées par les juridictions répressives, contrôle qui complète celui du juge administratif. Ces règles ont été renforcées par la loi du 31 décembre 1976. Les plus importantes sont inscrites **aux articles L. 480-1 à L. 480-13**.

§1 Diversité des infractions et droits des tiers

A. Infractions au permis de construire

Il peut s'agir d'une absence **pure et simple de permis**, ou de la **violation des dispositions du permis**. L'absence de déclaration préalable pour les travaux exemptés de permis constitue aussi une infraction. Certaines infractions sont plus spécifiques, comme l'obstacle au droit de visite ou le défaut d'affichage sur le terrain.

Un **permis de régularisation** n'efface pas l'infraction, le permis devant être « **préalable** » et la Cour de cassation estime que la délivrance a posteriori d'un permis de construire n'empêche pas le prononcé de la peine de démolition : **Cass. crim. 30 mai 1991**.

De même l'illégalité d'un refus de permis ne fait pas disparaître l'infraction.

Tenues de vérifier l'existence de l'infraction, les juridictions répressives **définissent** par là-même **le champ d'application du permis de construire**, examen qui peut conduire – rarement – à des **divergences d'appréciation** entre le juge administratif et le juge répressif.

B. Infractions à la règle d'urbanisme

La répression de la **violation des règles du PLU** est prévue à **l'art. L. 160-1**. La jurisprudence est peu abondante car le juge préfère poursuivre le contrevenant pour construction sans permis ou en méconnaissance de ses règles, les sanctions étant identiques.

La **loi du 2 février 1995** retient une nouvelle infraction : il s'agit de la construction ou de l'aménagement de terrains dans une zone interdite par un **plan de prévention des risques**.

C. Caractère des infractions

Bien qu'il s'agisse en général de **délits**, elles ont un caractère **matériel** et il n'y a pas lieu de rechercher les intentions de celui qui les a commises. Ainsi la **bonne foi** ne saurait être une cause d'exonération.

De même les erreurs de l'administration dans la délivrance de l'autorisation ne font pas disparaître le délit sauf si, par la voie d'un recours en excès de pouvoir ou d'une question préjudicielle, le juge administratif a constaté l'illégalité.

La plupart des infractions ont un caractère **continu**, prolongé dans le temps. Le point de départ de la **prescription** court du jour où l'activité délictueuse a pris fin c'est-à-dire de l'achèvement des travaux dans le cas d'une construction sans permis.

Certaines infractions ont un caractère **successif** ou **instantané** (obstacle au droit de visite, affouillement, abattage d'arbres sans autorisation). Le délai de prescription court à compter du jour où l'infraction a été commise.

D. Personnes responsables et droits des tiers

Selon l'article **L. 480-4**, les sanctions « **peuvent être prononcées contre les utilisateurs du sol, les bénéficiaires des travaux, les architectes, les entrepreneurs ou autres personnes** responsables de l'exécution desdits travaux », y compris les personnes morales et les personnes publiques. Le champ de la répression est ainsi **étendu** et dissocie la personne du délinquant de celle du propriétaire.

Le droit pénal protège essentiellement l'intérêt public mais la commission d'une infraction peut entraîner des dommages aux particuliers qui ont la possibilité de se constituer **partie civile**.

Si le parquet a déclenché l'action publique, la victime agit par voie d'**intervention**. S'il ne l'a pas encore déclenchée, elle mettra en mouvement l'action publique soit par **citation directe** du contrevenant devant le tribunal, soit par **plainte avec constitution de partie civile** devant le juge d'instruction.

Après bien des hésitations, la chambre criminelle de la Cour de cassation, dans un important arrêt du 17 janvier 1984, « *Henneton* », a donné aux **particuliers la possibilité de se constituer partie civile**, lorsque l'infraction aux règles d'urbanisme leur a causé un **préjudice direct et personnel**, alors qu'elle considérait auparavant que les règles d'urbanisme protégeant l'intérêt général, leur violation ne pouvait causer un préjudice direct aux particuliers.

Cette **contribution des particuliers**, souvent les voisins, à la répression des infractions aux règles d'urbanisme est souhaitable et le juge saura vérifier que les conditions de l'article 2 du Code de procédure pénale sont réunies afin d'écarter toutes pressions abusives.

§2 CONSTATATION DES INFRACTIONS ET ENGAGEMENT DES POURSUITES

A. Constatation des infractions

Elle présente la particularité d'impliquer directement les services de l'État ou des collectivités locales familiarisées avec la complexité de la règle d'urbanisme et à même de détecter les atteintes qui lui sont portées.

Les infractions, établies le plus souvent au moyen de **procès-verbaux** (PV) peuvent être constatées par deux catégories d'agents (**art. L. 480-1**) :

— « **les officiers et agents de police judiciaire** ». Ont cette qualité les maires et les adjoints, les officiers de police et de gendarmerie ;

— **les fonctionnaires assermentés et commissionnés** par le maire, le ministre chargé de l'urbanisme ou le ministre chargé des monuments historiques s'il s'agit de constater une infraction aux MH ou aux sites.

Il est fait **obligation** à l'administration **de dresser PV** sans « tri » préalable, lorsqu'elle a connaissance d'une infraction. Sa négligence ou son retard pourraient engager sa **responsabilité** : CE 21 octobre 1983, « *Guedeu* ».

B. Engagement des poursuites

• L'administration est **tenue de transmettre une copie du PV** « **sans délai** » au ministère public, lequel apprécie **l'opportunité** des poursuites. Le parquet classe souvent l'affaire sans donner suite lorsque le délinquant a régularisé sa situation ou si celle-ci est en cours de régularisation.

• En se **constituant partie civile**, les victimes peuvent également mettre en mouvement l'action publique. Fort opportunément le législateur et le juge ont favorisé cette action en l'ouvrant successivement :

— **aux associations reconnues d'utilité publique ou agréées** pour des faits portant un préjudice direct aux intérêts collectifs qu'elles ont pour mission de défendre (**lois des 10 juillet et 31 décembre 1976**) ;

— **aux particuliers** depuis l'arrêt « *Henneton* » (cf. *supra*) ;

— **aux communes** en ce qui concerne les faits commis sur leur territoire, ce qui correspond à leurs nouvelles responsabilités en matière d'urbanisme.

§3 MESURES CONSERVATOIRES ET SANCTIONS

A. Interruption des travaux (art. L. 480-2)

1. PROCÉDURE JUDICIAIRE

L'interruption sera ordonnée soit sur réquisition du ministère public, soit même d'office par le **juge d'instruction** ou le **tribunal correctionnel**.

Après avoir entendu le bénéficiaire des travaux, l'autorité judiciaire statue dans les 48 heures et la décision d'interruption des travaux est exécutoire immédiatement.

2. PROCÉDURE ADMINISTRATIVE

L'ordre d'interrompre les travaux peut aussi être donné par un **arrêté motivé du maire** tant que l'autorité judiciaire ne s'est pas prononcée. Le **préfet** a un droit de substitution 24 heures après mise en demeure du maire.

L'interruption des travaux par l'autorité administrative est **obligatoire** dans deux hypothèses : construction sans permis, construction poursuivie alors que le juge administratif a ordonné le sursis à exécution de l'autorisation.

Le maire peut prendre toutes **mesures de coercition** nécessaires et procéder notamment à la saisie du matériel de chantier. L'arrêté d'interruption peut être déféré au juge administratif. L'illégalité de l'ordre d'interruption peut engager la **responsabilité de l'État.**

L'autorité judiciaire peut ordonner la mainlevée des mesures d'interruption à tout moment et même d'office.

Il a été regretté que trop peu d'arrêtés interruptifs de travaux soient pris par les maires davantage enclins à tenter une régularisation.

Interprétant la nouvelle rédaction, depuis la loi du 18 juillet 1985, de l'article **L. 480-1**, le Conseil d'État dans un arrêt « *Ville de Paris* » 16 novembre 1992, estime que les pouvoirs exercés par les maires en matière de constatation des infractions de saisine du parquet et d'interruption des travaux leur sont conférés en tant qu'**autorités administratives de l'État** et engagent **la responsabilité de l'État.**

B. Sanctions

Elles sont généralement prononcées par le tribunal correctionnel. L'article L. 480-4 punit d'une **amende** comprise entre 1 200 euros et un montant qui ne peut excéder

6 000 euros par m² de surface de plancher construite irrégulièrement. En cas de récidive, une peine d'emprisonnement de 6 mois peut être, en outre prononcée.

Des peines **adaptées** sont prévues pour les infractions spécifiques (lotissements, obstacle au droit de visite…).

C. Mesures de restitution

La condamnation peut être assortie de mesures de restitution qui ont le **caractère mixte** d'une peine et d'une réparation civile. Le juge pénal ou civil dispose d'un pouvoir souverain d'appréciation pour les prononcer, même d'office ou non.

Ces mesures consistent soit dans la « **mise en conformité** des lieux ou des ouvrages », soit dans la « **démolition** des ouvrages ou la réaffectation du sol en vue du rétablissement des lieux dans leur état antérieur » (**art. L. 480-5**). Spectaculaire a été la démolition, en octobre 2002, de la villa du promoteur C. Pellerin au cap d'Antibes, après 12 ans de contentieux. Villa pharaonique, plus de 2 500 m² avaient été édifiés sans permis.

L'extinction de l'action publique (décès du prévenu, amnistie) ne fait pas obstacle à leur application. Il en est de même si le bénéficiaire coupable a vendu la construction litigieuse à un tiers de bonne foi.

Le tribunal fixe un délai pour l'exécution de ces mesures et peut assortir sa décision d'une **astreinte** (de 7,5 à 75 euros par jour de retard, **art. L. 480-7**) recouvrée au profit de la commune chargée de sa liquidation.

Par ailleurs, l'administration peut recourir à l'**exécution forcée** et faire procéder d'office aux frais et risques du contrevenant à tous les travaux nécessaires à l'exécution de la décision de justice.

D. Bilan

Selon des évaluations faite par le ministère de l'Équipement plusieurs constats ont été établis. Une importante **disparité** s'observe selon les départements ; les délits en matière de permis de construire représentent de 80 à 90 % de l'ensemble. En dépit des textes, certains PV sont « **classés** » et non transmis au parquet. Quand il est saisi, celui-ci tente souvent de favoriser la **régularisation**.

Le nombre des poursuites par rapport au nombre des PV est faible et, lorsqu'il y a condamnation, le montant des amendes, bien que relevé, demeure **insuffisamment dissuasif**. Les tribunaux restent **prudents** et **réservés** dans le prononcé des mesures de restitution.

L'administration a décidé de réagir et ces dernières années, le **nombre des démolitions** ordonnées et effectuées **a sensiblement augmenté** – notamment sur le littoral méditerranéen – l'effet de dissuasion semblant porter ses fruits. Il serait, en effet, illogique de chercher à perfectionner la règle d'urbanisme et d'accepter sa violation délibérée par certains.

Le ministère dispose désormais d'une **ligne budgétaire** pour financer les exécutions d'office.

E. Responsabilité pénale des élus et des collectivités locales

L'article 121-2 du nouveau Code pénal institue la **responsabilité pénale des personnes morales**, y compris de droit public, à l'exception de l'État.

La responsabilité des collectivités territoriales est cependant limitée aux infractions commises dans l'exercice d'activités susceptibles de faire l'objet de **délégations de service public**, ce qui ne concerne qu'indirectement les opérations d'urbanisme.

Quant à la **responsabilité pénale des élus**, la **loi du 10 juillet 2000** exige, pour qu'un délit soit reconnu, qu'ait été, soit violée de façon manifestement délibérée une obligation particulière de sécurité, soit commise une faute d'une exceptionnelle gravité exposant autrui à un danger qui ne pouvait être ignoré. Ici encore, l'urbanisme – à la différence de l'environnement – paraît peu concerné.

CONCLUSION

Sophistiqué à l'extrême, le droit de l'urbanisme a le mérite de s'être régulièrement enrichi afin de répondre au défi posé par la conciliation d'acteurs et d'intérêts divers et souvent conflictuels.

L'essor des règles juridiques répond à la place croissante des problèmes politiques, économiques et sociaux liés à l'urbanisation mais la machine à fabriquer des lois, contrairement à la pause souhaitée par tous, ne cesse de s'emballer. Cette inflation textuelle, aggravée par l'obscurité de rédactions lourdes et bavardes, encourage les dérogations et les dérives. Les grands principes du droit de l'urbanisme sont alors à rechercher non dans la norme mais dans la jurisprudence laquelle s'efforce de donner des interprétations rigoureuses et unificatrices.

Lestée d'excellentes intentions, la loi SRU impose une réflexion prospective volontariste sur les choix d'urbanisme, une démarche de projet, la mise en cohérence avec les autres politiques. L'importance des réformes explique les difficultés rencontrées par sa mise en œuvre.

Le défi des prochaines années repose sur les relations pacifiées entre les trois partenaires que sont l'État, régulateur du développement économique, social et culturel, les communes – nécessairement regroupées – responsables de la planification de leur territoire et du contrôle des autorisations de construire et la société civile avide de participation.

De cette collaboration dépend l'efficacité d'un droit de l'urbanisme volontariste et non subi, anticipant sur l'événement afin de le maîtriser, contraignant mais sécurisant.

Abréviations et sigles

ABF	Architecte des bâtiments de France
AFU	Association foncière urbaine
ANAH	Agence nationale pour l'amélioration de l'habitat
CAA	Cour administrative d'appel
CAUE	Conseil d'architecture, d'urbanisme et d'environnement
CCH	Code de la construction et de l'habitation
CDU	Commission départementale d'urbanisme
CDEC	Commission départementale d'équipement commercial
CE	Conseil d'État
C. urb.	Code de l'urbanisme
CGCT	Code général des collectivités territoriales
CIANE	Comité interministériel d'aménagement de la nature et de l'environnement
CIAT	Comité interministériel d'aménagement du territoire
CIV	Comité interministériel des villes
Cons. const.	Conseil constitutionnel
COS	Coefficient d'occupation du sol
COREPHAE	Commission régionale du patrimoine historique, archéologique et ethnologique
CU	Certificat d'urbanisme
DATAR	Délégation à l'aménagement du territoire et à l'action régionale
DAU	Direction de l'architecture et de l'urbanisme
DDE	Direction départementale de l'Équipement
DIA	Déclaration d'intention d'aliéner
DIREN	Direction régionale de l'environnement
DOM	Départements d'outre-mer
DPU	Droit de préemption urbain
DTA	Directives territoriales d'aménagement
EPA	Établissement public d'aménagement (ou administratif)
EPAD	Établissement public pour l'aménagement de La Défense
EPCI	Établissement public de coopération intercommunale
FAU	Fonds d'aménagement urbain
FIAT	Fonds d'intervention pour l'aménagement du territoire

FNAH	Fonds national pour l'amélioration de l'habitat
HLM	Habitation à loyer modéré
MARNU	Modalités d'application du règlement national d'urbanisme
OPAC	Office public d'aménagement et de construction
OPAH	Opération programmée d'amélioration de l'habitat
OPHLM	Office public d'habitation à loyer modéré
PADD	Plan d'aménagement et de développement durable
PAF	Programme d'action foncière
PAE	Programme d'aménagement d'ensemble
PAR	Plan d'aménagement rural
PC	Permis de construire
PLH	Programme local de l'habitat
PIG	Projet d'intérêt général
PLD	Plafond légal de densité
PLH	Programme local de l'habitat
PLU	Plan local d'urbanisme
PPRNP	Plans de prévention des risques naturels prévisibles
RGU	Règles générales d'urbanisme
RNU	Règlement national d'urbanisme
SAR	Schéma d'aménagement régional
SAFER	Société d'aménagement foncier et d'établissement rural
SCI	Société civile immobilière
SCOT	Schéma de cohérence territoriale
SDRIF	Schéma directeur d'aménagement de la région d'Île-de-France
SEM	Société d'économie mixte
SHON	Surface hors œuvre nette
SIVOM	Syndicat intercommunal à vocation multiple
SMVM	Schéma de mise en valeur de la mer
SRU	Solidarité et renouvellement urbain
TA	Tribunal administratif
TC	Tribunal des conflits
TLE	Taxe locale d'équipement
U	Zone équipée et urbanisable du PLU
VRD	Voies et réseaux divers
ZAC	Zone d'aménagement concerté
ZAD	Zone d'aménagement différé
ZPPAU	Zone de protection du patrimoine architectural et urbain
ZUP	Zone à urbaniser en priorité

INDEX DES ARRÊTS

INDEX ALPHABÉTIQUE

TABLE DES MATIÈRES

705094(1) – OSB-T 60g – NC

Achevé d'imprimer sur les presses de l'Imprimerie CHIRAT
42540 Saint-Just-la-Pendue
Dépôt légal mai 2003 N° 8083

Imprimé en France